# 新型コロナと巨大利権

経済、医療、税金に巣食う
4つの強欲集団

大村大次郎
元国税調査官

ビジネス社

COVID-19

# 序章

## だれが志村けんさんを死なせたのか？

## 志村さんを殺したのはだれか

今年2020年3月、タレントの志村けんさんが新型コロナにより死去されました。

このニュースには、国民すべてが驚き、悲しんだはずです。

それまで新型コロナは日本人にとって、それほど大きな存在ではありませんでした。

中国武漢から始まった新型コロナの流行は世界中に広がり、ヨーロッパなどでは深刻な被害が生じていました。

隣国の韓国でも感染拡大が起き、死者もかなり出ていました。

それでも日本では感染拡大も死者数もそれほど出ておらず、なんとなく**「対岸の火事」**という感じで受け止めていた人も多かったはずです。

そこに飛び込んできたのが、志村けんさんの死去のニュースでした。

「志村けんさんの死で、新型コロナの恐ろしさを思い知らされた」

日本人の多くは、そう思っていたのではないでしょうか？

しかし志村けんさんの死よりかなり前から、日本では感染拡大が起こっていた可能性が高いのです。そして、死者もそれなりに出ていたと考えられるのです。

ところが日本では政府や自治体（特に東京都）は、まともにPCR検査をせず、あたかも**「日本では新型コロナは大したことない」**というような印象を国民に抱かせつづけました。そして、そのことが志村けんさんの死にも大きく関係しているのです。

もし日本で先進国並みにPCR検査が行われ、感染者や死者の数がきちんと把握されていれば、日本人はもっと早くから新型コロナの怖さを認識することができたはずなのです。

志村けんさんは、毎晩飲み歩くのが日課であり、新型コロナが発症する直前まで飲み歩いていたことが伝えられています。また志村さんは、かつて肺病などを患っていました。

まるで志村さんの生活習慣や持病が死を早めたというような報道が相次ぎました。

しかし、日本が早くから「すでに感染拡大が広がっていること」「高齢者や持病がある人は致死率が高いこと」などをきちんと把握し、国民に広報していたならば、果たして志村さんはこれまで通りに飲み歩いていたでしょうか？

現在、よく言われている「三密」などという言葉も、志村けんさんが死去した後に言われるようになったのです。また夜の繁華街で感染が多く発生していることも、志村さんの死去以前にはほとんど報じられていませんでした。

政府や自治体が一生懸命新型コロナ対策を行っていた上で、実態把握が遅れ、国民への公報が遅れたのならば仕方がない面もあるでしょう。

ところが政府や自治体は、あえて新型コロナの実態把握や国民への公報を遅らせていた疑惑があるのです。

## 台湾、韓国に大きく遅れをとった新型コロナ対策

「日本は新型コロナにおいて死者数が欧米よりはるかに少ないので、対策が成功している」

このように主張する評論家なども多数います。

が、日本だけじゃなくアジア諸国はおおむね欧米よりも死者数が少ないのです。

また日本の国民はそもそも感染症対策が世界でもっとも進んでいるのです。花粉症の影響もあり、日本人は冬から春にかけてマスクを常用している人がかなりいます。手洗い、うがいなどの衛生に関する観念も発達しています。欧米のような挨拶時にハグや握手、キスなどをする文化もありません。そして、おそらく日本人は世界でもっとも「大声で話す

ことが少ない人種」です。

つまり日本というのは、もともと感染症が流行しにくいといえるのです。

さらにまだ明確に解明されているわけではありませんが、アジア諸国に感染者や死亡者が少ないのはＢＣＧ接種の影響があるという説も唱えられています。

だから欧米の死者数と比べて、日本は成功しているなどとは決して言えないはずです。

比べるのであれば、国情が似ている台湾や韓国と比較するべきでしょう。

日本人としては悔しい限りですが、新型コロナ対策を台湾や韓国と比較すれば、日本の新型コロナ対策のお粗末《そまつ》さは明白です。

台湾や韓国では早くからＰＣＲ検査を大々的に行い、感染者を隔離し、経済活動の自粛やロックダウンなどの厳しい処置を講ずることなく、新型コロナ対策に成功しています。

台湾や韓国は中国本土との人や物の往来も激しいので、日本よりも不利だったにもかかわらず、です。

台湾や韓国の感染者の少なさは、きちんとＰＣＲ検査を行なった上での少なさであり、国際的にも評価されています。

しかし日本の感染者の少なさは、先進国としては最低レベルのＰＣＲ検査によるものであり、国際的には厳しく非難されています。

「それでも日本では死者が少ないからいいじゃないか」と思う人もいるでしょう。

しかし、日本の新型コロナの死者数には、疑問となるようなデータが多々あるのです。

## 3月半ばの時点で数百人の死亡が出ていた可能性も

厚生労働省のサイトでは、「インフルエンザ関連死亡迅速把握システム」というものがあり、大都市のインフルエンザや肺炎で死亡した人の数値を毎週、発表しています。

それによると、東京は2月の終わりから3月いっぱいにかけて肺炎で死亡した人が非常に多くなっています。閾値《いきち》と呼ばれる「通常値の上限」を30〜40人も超える週が、5週間も続いているのです。この5週間では、例年の平均値よりも300人程度死者が多く、閾値よりも150人程度も死者が多いのです。

本来、今年は肺炎の死亡者は例年よりも少なくなっていないとならないのです。というのも、今年は新型コロナの影響により、マスクなどの感染症対策を施す人が多く、インフルエンザ感染者は例年よりもかなり少なくなっています。去年よりも30%程度も減っているのです。にもかかわらず東京では2月終わりから3月にかけて、肺炎の死亡者が通常値を大きく超えて激増していたのです。

しかも3月中旬の週になって、急に肺炎死亡者が減っているのです。

このデータから推測されることは、**2月から3月にかけての数値は新型コロナで死亡した人が相当数含まれているのではない**か、という疑念です。

そして3月中旬から急に肺炎死亡者が少なくなったのは、3月中旬から新型コロナの検査を本格的に行うようになっており、「新型コロナでの死者が新型コロナでの死者としてカウントされるようになった」からではないか、ということです。実際に3月中旬以降、東京都の新型コロナでの死者数は激増しています。

台湾や韓国の感染状況からも、そういう推論はできます。台湾や韓国では日本より1か月前から感染者数も死者も増えています。台湾や韓国が、日本よりも早く感染拡大する理由はなく「日本では当初、まともにPCR検査をしていなかったので、感染者や死者の把握もれがかなりある」と考えられるのです。

政府は、「本当は新型コロナでの死者はもっと多いのではないか」という指摘に対し、「死亡した人で新型コロナが疑われる場合は、ＣＴで確認している」と回答しました。が、新型コロナかどうかというのは、ＣＴだけでは確認できず、ＰＣＲ検査も必要です。

生きている人のＰＣＲ検査さえまともにやっていない国で、死者のＰＣＲ検査がきちんと行われているはずはないのです。

おそらく政府の発表よりも、**かなり多くの死者がいる**はずなのです。

## 本当の死者数は数倍か

また別の面から見ても、日本の死者数には疑問が生じるのです。

新型コロナでは、志村けんさんや岡江久美子さんなど有名人の死者が相次いでいます。志村けんさん、岡江久美子さんは、お２人とも「国民的」と冠せられるほどの超有名人です。こんな超有名人が複数も亡くなられるというのは、異常だとは思いませんか？

これは欧米では時々見られますが、台湾、韓国では見られないことです。

そして、この異常さの割に日本全体の死者は少なすぎると思いませんか？

５月16日現在、新型コロナでの日本の死者は７００人ちょっとです。

700人の中に超有名人が2人もいるというのは、統計学的には異常な数値なのです。志村けんさんや岡江久美子さんは、控えめに言っても1万人に1人いるかいないかというほどの超有名人です。だから統計学的に言えば、志村けんさんや岡江久美子さんほどの有名人は、日本人が1万人死亡したときに1人いるかどうかなのです。

しかし700人しかいない死者の中に、お2人が入っているのです。これは明らかに異常値なのです。

これは隣国の韓国と比較すれば、わかりやすいでしょう。

人口当たりの死者数というのは、現在のところ日本も韓国もほぼ同じ程度です。

それでも韓国では、有名人が死亡したという話は皆無です。それどころか感染者自体、芸能人などにはほとんどいません。SUPERNOVAというグループのユナクの感染が確認された程度で、ほかにはほとんど聞かれません。

一方、日本では、芸能人の感染者が相次いで確認されています。

宮藤官九郎さん、石田純一さん、森三中の黒沢かずこさん、速水けんたろうさんなどだれもが知っている有名人が何人も感染しています。

有名人の場合、新型コロナの疑いがあるのにそれを放置し、後で大事になれば、国や自治体は世間から厳しい非難を浴びることになるので、優先的にPCR検査をしているはずなのです。だから、有名人の新型コロナ感染や新型コロナでの死亡が多いと思われます。

ということは、有名人じゃない市井《しせい》の人の場合は、新型コロナの疑いがあってもなかなか検査されず、死亡した人もいちいち確認はされていないことが考えられます。

もしかしたら、**数倍の死者がいる可能性もある**のです。

もし日本がはじめからきっちりPCR検査を行い、感染者数をなるべく正確に把握し、その危険性を社会に広く知らしめていれば、救えた命は多いはずです。

政府や自治体の失政が、志村けんさんを死なせたともいえるのです。

また、なぜ政府や自治体がPCR検査をきちんと行おうとしないのか、その理由を追究すれば、とんでもない日本の闇を見ることになってしまいます。

その闇を追究するのが本書のテーマです。

日本には、医療、政治、経済界などに驚くほどの巨大な利権が存在します。

その巨大な利権が、日本でのPCR検査の貧弱さや、アビガンの承認の遅さ、ICU（集中治療室）の少なさにつながっているのです。

本書で挙げられているデータのほとんどは、筆者が独自に調査したというものではなく、政府や関係機関が公表している資料に基づいたものです。だからインターネットなどで簡単に追確認できます。残念なことに、本書で書かれていることは真実なのです。が、真実を知らないことには、改善策も生まれないのです。

本書を読み進めるのは、辛くなる方もたくさんいるはずです。が、これが今の日本の現実なのです。日本人としては、直視しなければならないものなのです。

# 第2章

# なぜ日本の予算は肝心なときに使えないのか？

# 第3章 厚生労働省という強欲集団

# 第4章　オリンピック利権に群がる者たち

# 第5章　利権でがんじがらめの国

# 第1章

# 日本医療に巣食う
# 利権集団

## 日本がＰＣＲ検査を増やせなかった驚愕の理由

まず最初にお伝えしたいことは、今、医療現場でご苦労されている医療関係者の皆様への感謝です。

この大変な状況の中、毎日、過酷な仕事をされている皆様には、ただただ感謝しかありません。この社会が崩壊から免れているのは、あなたがたのおかげです。

筆者がこれからお伝えすることは、現場で頑張っておられる医療関係者を非難するようなものでは決してありません。

日本の医療システムそのものの欠陥を指摘するものです。そして、特権を有しているごく一部の医療関係者のことを非難するものです。

現代の日本では、特定の医療関係者の利権を守るために、医療システム全体がいびつになっています。

そして、そのいびつな医療システムが、現在、新型コロナウイルス感染症医療の最前線で働いておられる方の負担を大きく増やしているのです。

日本の医療システムがどういびつなのか、順を追って説明しましょう。

2020年1月28日、安倍首相は新型コロナウイルスを「指定感染症」にすると決定しました。

指定感染症というのは、「感染症の予防及び感染症の患者に対する医療に関する法律＝通称感染症法」に規定されているもので、次のような措置が取られるようになります。

「患者を隔離して入院させる」
「入院費を公費負担にする（お金がなくて入院治療できないことをなくす）」
「感染を確認した場合、必ず届け出しなければならない」

つまり指定感染症の場合、それが見つかったときに医療機関は必ず保健所などに届け出をし、保健所はその患者を隔離入院させなければならないわけです。そうすることで、感染がこれ以上広がらないように感染経路を特定して塞《ふさ》ぐということです。

指定感染症というのは、それほど重大な病気であり、国が総力を挙げて発見に努めなくてはならないのです。

しかし、ご存じのように、日本ではこの重大な感染症である新型コロナに対し、PCR検査をまともに実施してきませんでした。先進国では最低レベルであり、たびたび国際的な非難を浴びています。

なぜ日本ではPCR検査をなかなか実施しなかったのでしょう?

「予算がなかった」

「東京オリンピックを控えて被害を小さく見せたかった」

など理由はいくつか考えられますが、その最大のものは**「入院場所が少なかった」**ということです。

感染症法では、指定感染症が見つかった場合、必ず隔離して入院させなければなりません。しかし、日本では感染者のためのベッドがあまり確保できておらず、入院患者が増えても対応できなかったのです。

だからPCR検査数を絞りに絞って、入院患者の数を増やさないようにしていたわけです。

指定感染症がなんのために隔離入院させるのかというと、「他にうつさないため」です。

それが最大の目的なはずです。社会から隔離させ感染を止めるために「指定感染症」にしたはずです。

が、ベッドが少ないので検査を絞り、感染しているかもしれない人を野放しするということは、「ほかにうつさない」という最大の目的をまったくはずしたものです。

**「本末転倒にもほどがある」**というものです。

検査を絞り、軽症者を野放しにすれば、感染が拡大するのは目に見えています。そして実際にその通りになってしまいました。

多くの国民は、国のこの方針に怒りました。というより、怒りを通り越してあきれた人が多かったはずです。

## 日本の病床数は世界一なのに？

それにしても、なぜ日本では感染者を入院させられるベッドが不足していたのでしょうか？　実は、感染症患者を入院させるための病院が異常に少ないのです。

日本では、感染症患者を入院させるための指定医療機関というのがあります。

この医療機関は全部で351です。そして感染症患者用の病床は、全部で1758床しかありません。

これでは、数万人規模で感染症が発生したら、まったく手に負えなくなります。新型コロナは中国・武漢で数万人規模で感染していたので、これがまともに入ってきたら、一瞬で病床は埋まってしまいます。

厚生労働省や各都道府県は、最初からそのことがわかっていたのです。

だから各保健所は、必死にPCR検査を絞り、「感染患者の数」を絞っていたわけです。

ここで大きな疑問を持たれないでしょうか？

世界各国はもっとPCR検査をしていたのに、なぜ日本だけPCR検査をこれほど絞ったのか？　と。

というより、医療先進国を自負する日本で感染者向けの病床が1758床しかないことに、驚きを感じた方も多いはずです。

実は日本の病床数自体は、**人口あたりでは断トツの世界一**なのです。

## 人口1000人あたりの病床数

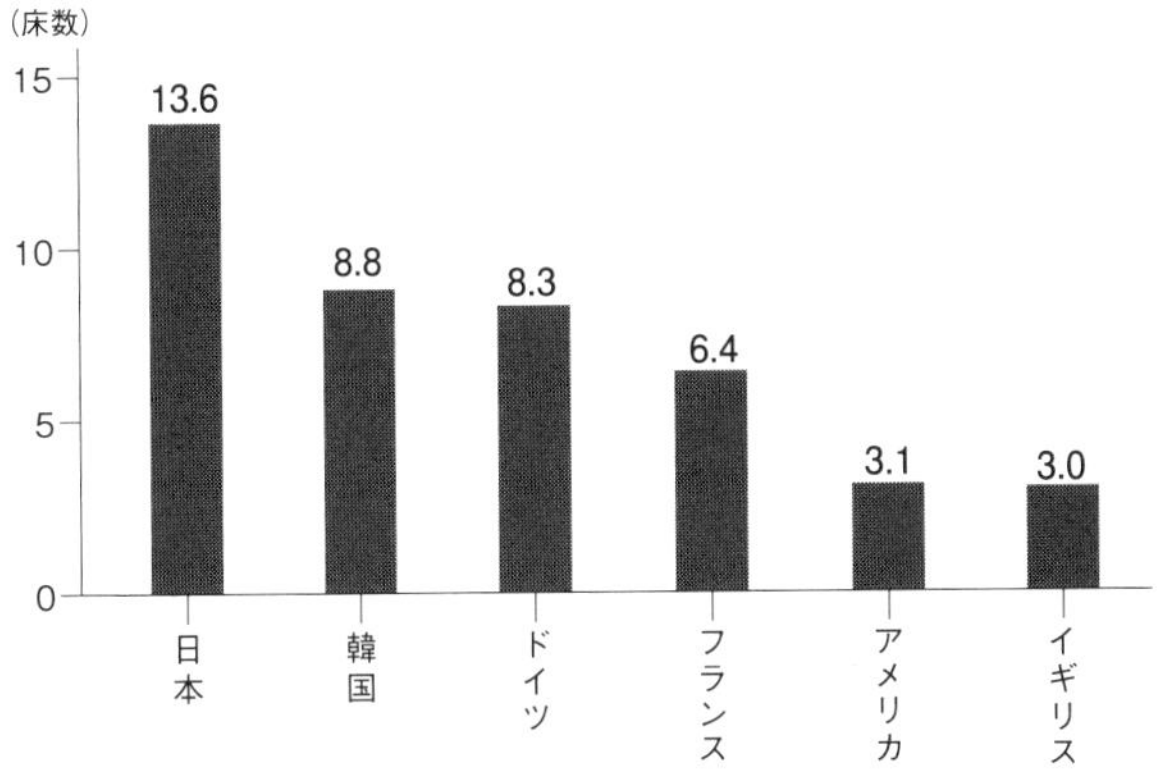


(OECDデータより)

## 主な先進国の人口10万人あたりのICUの数

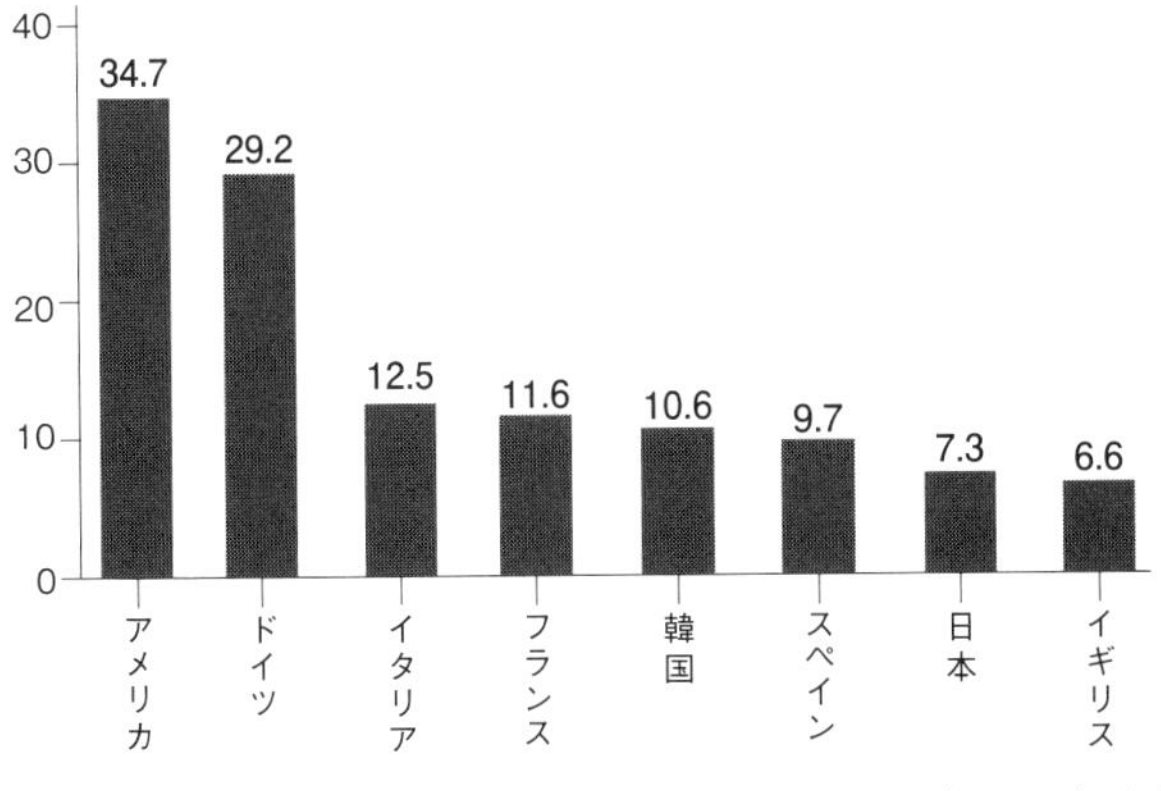


(OECDデータより)

このデータを見れば、日本は病床の数が異常に多いことがわかるはずです。2位の韓国の1・5倍であり、アメリカやイギリスの4倍もあるのです。

これほどの病床を持っているのに、なぜ新型コロナ感染者の受け入れ先が少なかったのでしょうか?

そこに日本の医療の**大きな闇**があるのです。

## なぜ日本のICUの数は先進国で最低レベルなのか?

また「日本の医療ではICU(集中治療室)が少ない」ということが、最近、よく報じられます。

日本のICUは、先進国の中でも最低レベルである、と。

「重症患者が大量に出たら対応しきれない」

だから日本では新型コロナに対しては、最初から軽症患者はほぼ黙殺されてきました。

軽症患者まで受け入れていると病院が持たないというのです。

確かに日本のICUは、非常に少ないです。

27ページ下段が、主な先進国の人口10万人あたりのICUの数です。

日本は、韓国はおろか大量に死者を出しているスペインよりも少ないのです。先進国であるOECD（経済協力開発機構）の加盟国の中では下から2番目という低さです。

## 病院は多いのに医者は少ないという謎

その一方で、先ほど述べましたように日本は、病床数（入院患者のベッド数）は先進国の中で抜きん出て多いのです。

「病床数は世界一なのに集中治療室は先進国最低レベル」

このいびつさこそが日本医療の暗部を象徴するものなのです。

もう一つ、日本医療には、非常にいびつなデータがあります。

それは、病院の数と医者の数です。

日本は異常に病院の数が多いのです。

日本には9000近くの病院、診療所があり、これも断トツの世界一なのです。世界第2位はアメリカですが、6000ちょっとしかないのです。

アメリカは日本の2倍以上の人口を持つので、これは異常値です。

日本の人口100万人あたりの病院数は約67です。欧米の先進国の場合、もっとも多いフランスでも約52であり、アメリカなどは18しかありません。

つまり人口割合でみると、日本はアメリカの約3・7倍の病院があるのです。

日本ではこれほど病院が多いにもかかわらず、国公立病院が異常に少ないという特徴もあります。国公立病院は日本の病床数の20％程度しかないのです。先進諸国では、病床の大半が国公立病院だというのにです。

なぜ民間病院が多いのかというと、民間病院には税制優遇措置や、診療報酬の優遇措置などがあり、「儲かるから」です。どれほど優遇されているかは後ほど詳しくご説明します。

その一方で医者の数は非常に少ないのです。

OECDの統計発表によると、日本の医師数は1000人あたり2・4人です。OEC

D加盟国全体の平均は３・５人であり、日本は平均値よりかなり少ないのです。OECD36か国の中で32番目であり、つまり下から5番目なのです。

**「病院は多いのに医者は少ない」**といういびつな医療体制が、新型コロナ対策において現場の医者の負担を大きくさせているのです。

「病院は多いのに医者は少ないって一体どういうこと？」

「病床は多いのに集中治療室は少ないって一体どういうこと？」

多くの国民は首をかしげたくなるはずです。

日本の医療システムの異常性をまとめると次のようになります。

- **病院数、病床数は断トツで世界一多い**
- **民間病院の数が先進国で異常に多い**
- **医者の数が先進国で異常に少ない**
- **ＩＣＵの数は先進国の中で異常に少ない**
- **感染症を受け入れる病院が異常に少ない**

## 日本は世界トップクラスの「医療費が高い国」

ところで日本という国は、世界でトップクラスの「医療費が高い国」でもあるのです。数年ほど前まで、「日本は先進国の中で医療費が著しく低い」というようなことが言われていました。

確かに数年前までのデータでは日本の医療費（GDP比）はOECDの平均よりも、かなり低いものとなっていました。

日本医師会なども、このデータを盛んに用いて「日本は医療費が安すぎる。もっと医療費を上げるべき」というプロパガンダを行なっていました。日本医師会というのは開業医の団体です（詳しくは後述）。

しかし、OECDの統計ではほかの国は介護などの費用も医療費に含めていたのに対し、日本では含めていませんでした。それが発覚したため2011年まで遡及《そきゅう》して集計をやり直したのです。

そして介護費などを含めて再集計すると、日本はOECDの中では6番目という**「かな**

**り医療費が高い国」**ということが判明したのです。

これ以降、日本医師会は「日本は医療費が安いので医療費を上げろ」というキャンペーンは行わなくなりました。

また日本では生活保護費の約半分が医療費なのですが、この分も集計から漏れていると考えられます。

そういうものを含めれば、日本は世界トップクラスの医療費高額国だといえるのです。

あまり知られていませんが、国の予算の中で最大のシェアを占めているのは、医療費だったのです。

国の予算の中で一番大きいのは社会保障関連費ということになっています。2019年度の予算では31兆6000億円です。

社会保障関連費というと、年金や生活保護などをまず思い浮かべる人が多いようですが、社会保障関連費の中でもっとも大きい予算を食っていたのは医療費なのです。高齢化の進行により年金の割合が増え、現在は医療費と年金はほぼ同額になっています。ところが長い間、医療費のほうが年金よりも大きかったのです。

また先ほども少し触れましたように生活保護に使われている予算の約半分は医療補助費なのです。生活保護受給者は、医療費が無料です。生活保護受給者の医療費は「医療補助費」として支出されます。この医療補助費が、生活保護費の約半分を占めるのです。

だから社会保障関連費のうち、医療費と医療補助費を合わせれば、**年金よりも大きい金額**になり、実質的には現在も医療費がもっとも大きい項目なのです。

このように日本国民は、世界でも高い医療費を払っているといえるのです。

にもかかわらず、なぜ新型コロナ感染者を受け入れる病床やＩＣＵ（集中治療室）が先進国の中で異常に少なかったのでしょうか？

また日本でＰＣＲ検査が増やせなかった要因のひとつとして、ＰＣＲ検査の機器とそれを扱う技師が不足していたことがあります。欧米諸国はおろか台湾、韓国などと比較しても、ＰＣＲ検査体制ははるかに貧弱だったのです。

だから当初ＰＣＲ検査を絞ったことが世間の批判を受けて、政府がＰＣＲ検査を増やそうとしてもなかなか増やせなかったのです。

日本国民は高い高い医療費を払ってきたのに、まともなＰＣＲ検査体制もつくれていなかったわけです。

世界トップクラスの巨額の医療費は、一体どこに費消されていたのでしょうか？

**2019年度の社会保障関連費内訳**（財務省2019年度予算資料より）
**医療費**　約12兆円
**年金**　約12兆円
**福祉**（生活保護など）　約4兆3000億円（このうち約半分は医療補助費）

## 異常に優遇されている「開業医」

その答えを知れば、ほとんどの人は怒りを禁じ得ないはずです。

その答えとは、**「開業医の利権を守るため」**なのです。

医者には大きく分けて、「開業医」と「勤務医」の2種類があります。

日本の場合は開業医の数が異常に多く、全体の3割にも達するのです。また病院の9割は民間病院であり、その大半が開業医なのです。

そして日本の医療では、医療費の多くの部分を開業医に配分されてきました。

だから日本ではICUを設置したり、新型コロナ感染症患者を受け入れる準備ができていなかったり、PCR検査機器が不十分だったりしたのです。

しかも開業医の収入は異常に高いのです。

厚生労働省の「医療経済実態調査」では、開業医や勤務医の年収は、近年、おおむね次のようになっています。

**開業医**（民間病院の院長を含む）　約3000万円
**国公立病院の院長**　約2000万円
**勤務医**　約1500万円

このように開業医というのは、国公立病院の院長よりもはるかに高く、普通の勤務医の倍もの年収があるのです。

国公立病院の院長になるということは大変なはずで、相当の能力を持ち、相当の働きをしないとなれるものではないはずです。

が、その国公立病院の院長よりも、開業医の家に生まれ実家を継いだだけの医者のほうがたくさん報酬をもらっていたりするのです。

なぜこういうことになっているのかというと、日本全体の医療費の多くが開業医に流れるようになっているからです。

たとえば同じ診療報酬でも、公立病院などの報酬と民間病院（開業医）の報酬とでは額が違うのです。同じ治療をしても、民間病院のほうが多くの社会保険報酬を得られるようになっているのです。

ほかにも開業医は高血圧や糖尿病の健康管理をすれば、報酬を得られるなどの特権を持っています。

最近「メタボリック」という言葉が大々的に流布されましたが、これも開業医の収入を増やすためのものだとも言われています。

これは国民にメタボリックの危険を植え付けることにより、開業医だけがもらえる「特定疾患療養管理料」というものを増やそうということです。

この「特定疾患療養管理料」というのは、高血圧、糖尿病、がん、脳卒中など幅広い病気に関して、療養管理という名目で、治療費を請求できるというものです。

国公立などの大病院には、この「特定疾患療養管理料」を請求することは認められておらず、開業医にだけ認められているのです。

簡単にいえば、大病院と開業医でまったく同じ治療をしても、開業医だけが「特定疾患療養管理料」という名目で、治療費を上乗せ請求できるということです。

患者は普通、医者の出した請求の通りに治療費を支払います。大病院と開業医との間で、料金の違いがあるなどとは知りません。それをいいことに、ドサクサに紛れて上乗せで治療費を請求しているのです。

しかも、最近ではほとんどの国公立病院では原則として、

「かかりつけ医の紹介状なしでは受診できない」

「もし紹介状なしで受診する場合は初診料が５０００円程度上乗せされる」

という制度があります。

国民は病気をすればまず近くの開業医に行かなければならないという仕組みになってい

るのです。

とにかくとにかく、日本の医療システムというのは、開業医の利権を守るように作られているのです。

## 日本の病床の80%は民間病院という異常

日本の医療システムがいびつになっているのも、この「開業医優遇」によるものなのです。

前述しましたように日本の病床数の約80%は民間病院にあります。国公立病院の病床は約20%しかありません。

これは先進国としては異常なことです。

イギリス、ドイツ、フランスなど先進国のほとんどが、病床の半分以上が国公立病院なのです。

アメリカは国公立病院の病床数はそれほど多くはありませんが、病床の大半は教会や財団などが運営する「非営利病院」です。

## 先進諸国の公的病院と民間病院の病床数の内訳

| | 公的病院 | 民間病院 |
|---|---|---|
| 日本 | 約20% | 約80% |
| アメリカ | 約15% | 約85%（うち非営利70%） |
| イギリス | 大半 | 一部のみ |
| フランス | 約67% | 33% |
| ドイツ | 約50% | 約50%（うち非営利33%） |

「諸外国における医療提供体制について」厚生労働省サイトより

「日本の民間病院もほとんど非営利なのだからアメリカの水準と変わらない」

と反論する医療関係者もいるでしょう。

しかし、それこそ詭弁《きべん》の最たるものであり、日本医療の暗部を象徴するセリフなのです。

というのも、日本の非営利病院と欧米の非営利病院では名称こそ同じですが、中身はまったく違うものだからです。

日本の非営利病院のほとんどは、看板だけが「非営利」なのです。

日本の開業医の病院も表向きは「非営利病院」となっています。が、日本の非営利病院の大半は、**「実際は非営利ではないもの」**がほとんどなのです。

私大の附属病院や日本赤十字病院など、日本にも「本当の非営利の民間病院」もあります。しかし大半は事実上の個人病院を形式の上だけ非営利病院にしているのです。

相続税対策などで表向きだけは「医療法人」という組織にしていますが、実際は創立者の医者が経営権を握っていて、その医者の一族が代々の理事を務めるという状態になっているのです。

そういう医者の子供は、一族の利権を守るために医者になることが多く、医者という職業は半ば世襲化しているのです。

「医者の息子が何年も浪人して医学部に入った」

というような話をどこかしらで聞いたことがあるでしょう?

そのカラクリは、こういうことなのです。

## なぜ日本は寝たきり老人が多いのか?

病床の80%が民間病院であっても、ちゃんと社会に役立つ医療を提供してくれているのであれば、国民としては文句はないはずです。

が、民間病院がたくさんの病床を持っているということは、「儲けるため」の場合が多いのです。

たとえば日本の民間病院では寝たきり老人などを増やして入院させ、多額の医療費を稼いでいることが多いのです。実は先進国の中で日本は寝たきり老人が異常に多いのです。

日本では寝たきり老人が、200万人いると推計されています。

これほど寝たきり老人のいる国は、世界中どこにもないのです。

というより、欧米の先進国の医療機関などには「寝たきり老人」がほとんどいないのです。日本が高齢者大国だということを考慮しても、この数値は異常値なのです。

そのカラクリも、せんじ詰めれば開業医の利権につながるのです。

なぜ日本にこれほど寝たきり老人がいるのかというと、日本の医療現場では、「とにかく生存させておくこと」が善とされ、点滴、胃ろうなどの延命治療がスタンダードで行われているからです。

自力で食べることができずに、胃に直接、栄養分を流し込む「胃ろう」を受けている人は、現在25万人いると推計されています。

これらの延命治療は、実はだれも幸福にしていないケースが多々あります。

寝たきりで話すこともできず、意識もなく、ただ生存しているだけの患者も多々いるからです。

親族なども、もう延命は望んでいないという場合であっても、日本の場合、いったん延命治療を開始すると、それを止めることが法律上なかなか難しいのです。

**「自力で生きることができなくなったら無理な延命治療はしない」**

このことは先進国ではスタンダードとなっています。日本がこの世界標準の方針を取り入れるだけで、医療費は大幅に削減できるはずです。

なぜ日本はそれをしないのでしょうか？

この延命治療で儲かっている開業医が多々あるからです。そういう開業医たちが圧力をかけ、現状の終末医療をなかなか変更させないのです。

その一方で、開業医はなかなかＩＣＵ（集中治療室）などはつくろうとしません。

ＩＣＵ（集中治療室）は設備費用や人件費がかかる上に儲けは少ない、しかも来るのは救急患者、重症患者ばかりなので大変だからです。

そのため日本の医療では「病床は世界一多いのに、ＩＣＵ（集中治療室）は先進国で最低レベル」という、いびつな形になっているのです。

## 日本最強の圧力団体「日本医師会」とは？

なぜ開業医の利権が、これほど巨大なものになっているのでしょうか？

実は開業医は、強力な圧力団体を持っているのです。

かの有名な「日本医師会」という団体です。

日本医師会は、日本で最強の圧力団体と言われていますが、この団体は「医者の団体」ではなく、**「開業医の団体」**なのです。

日本医師会という名前からすると、日本の医療制度を守る団体のような印象を受けますが、実際は開業医の利権を守る団体なのです。

現在、日本医師会は、「開業医の団体」と見られるのを嫌い、勤務医への参加を大々的に呼びかけており、開業医と勤務医が半々くらいになっています。

が、勤務医が日本医師会に入るのは、医療過誤などがあったときの保険「日本医師会医師賠償責任保険（日医医賠責保険）」に加入するためであることが多いとされています。勤務医の大半は、「日本医師会が自分たちの利益を代表しているわけではない」と考えているようです。また日本医師会の役員は今でも大半が開業医であり、「開業医の利益を代表している会」であることは間違いないのです。

この日本医師会は自民党の有力な支持母体であり、政治献金もたくさんしているので、とても強い権力を持っているのです。

そのため開業医は、さまざまな特権を獲得しているのです。そして、その特権を維持し続けているのです。

## 救急患者のたらいまわしも「民間病院過多」が要因

日本では、新型コロナ感染が拡大し始めた2020年2月以降、救急患者が病院から搬送を断られるケースが激増しています。

救急患者の受け入れを拒否され、病院をたらい回しにされることは、以前から問題になっていました。が、新型コロナ禍ではその問題がさらに顕著になったのです。

少しでも新型コロナ感染の疑いがある患者は、どこの病院も受け入れるのを拒み、受け入れ先がなかなか見つからないのです。

東京都内ではなんと110か所以上の病院に搬送を断られた救急患者もあったと報道されています。また28歳の力士が新型コロナに感染後、なかなか受け入れ先が見つからず、症状が悪化して入院後に亡くなるということもありました
こうした事態も、日本の**「民間病院が多い」**という特殊事情が大きく影響しているのです。民間病院の場合、新型コロナ感染者を受け入れて院内感染などが起これば、たちまち経営に支障をきたします。それを嫌って、新型コロナウイルス感染者を受け入れようとしないのです。

もし日本の病院がほかの先進諸国のように、**「国公立病院が大半」**という状況であれば、こんな悲惨なことにはなっていません。

国公立病院であれば、感染症指定病院じゃなくても、政府や自治体が感染症の受け入れを指示することができます。しかし民間病院に対しては、受け入れを拒否されれば、それ以上強く言うことができません。

日本医師会は、新型コロナ感染者を出して横浜港で立ち往生していたクルーズ客船ダイ

ヤモンド・プリンセス号にいち早く調査チームを派遣したり、早くから日本政府に緊急事態宣言を出すように提言したりするなど、新型コロナ対策に関して活躍しているようにも見えます。

それでも実際は、

「日本の医療が新型コロナなどの新型感染症に脆《もろ》いこと」

「その原因は開業医が多すぎることにある」

この事実を日本医師会は十二分に知っているからこそ、自分たちが批判される前に先手を打って活躍をアピールしていたのです。

また医者の数が増えないのも、日本医療の「開業医優遇の流れ」が大きく影響しているのです。

**「医者の数が多くなれば開業医の所得シェアが下がる」**わけです。

日本医師会は医学部の新設に強硬に反対してきました。

その理由は「少子高齢化によって、いずれ医者が余るようになるから」だということです。医者が余れば、無能な医者が淘汰《とうた》されればいいだけの話です。実際に、ほかの業種ではそういう健全な競争が行われているのです。しかし、その競争が行われた場合、金の力で医者になった開業医のバカ息子たちが、まず一番に淘汰されるのは目に見えています。

ですから、日本医師会は頑強に反対しているのです。

まったく自分たちの利益のことしか考えていないことは明白なのです。

そして文部科学省や厚生労働省も日本医師会の圧力に屈しているのです。

だから医者が少ないのがわかっていながら、医学部の新設がなかなか認められず、医学部の定員もなかなか増えないのです。

## なぜか開業医の税金は激安

筆者が開業医優遇システムに気づいたのは税金面からです。というのも開業医は、税金に関しても非常に優遇されているのです。

開業医の場合、社会保険診療報酬が5000万円以下ならば、約70％程度を自動的に経費にできることが認められているのです。

簡単に言えば、開業医は収入のうちの30％だけに課税をしましょう、約70％の収入には税金はかけませんよ、ということです。

**開業医の税金の特例**（社会保険収入にかかる必要経費算式）

| 社会保険収入 | 算式 |
|---|---|
| 2,500万円以下 | 社会保険収入×72% |
| 2,500万円超　3,000万円以下 | 社会保険収入×72%＋500千円 |
| 3,000万円超　4,000万円以下 | 社会保険収入×62%＋2,900千円 |
| 4,000万円超　5,000万円以下 | 社会保険収入×57%＋4,900千円 |

開業医の税制優遇制度は、次のページの表の通りです。

たとえば、社会保険収入が5000万円だった場合は、経費は次のような計算式になります。

**5000万円×57%＋490万円**
**＝3340万円**
**→自動的に経費になる**

この3340万円が自動的に経費として計上できるのです。収入の約67%にもなります。

つまり実際には経費がいくらかかろうと、

医者は収入の67％を経費に計上できるのです。

本来、事業者（開業医も事業者に含まれる）というのは、事業で得た収入から経費を差し引き、その残額に課税されるものです。

しかし開業医だけは、収入から無条件で約70％の経費を差し引くことができるのです。実際の経費がいくらであろうと、です。

そもそも医者というのは、それほど経費はかからないのです。特に設備をそれほど必要としない小さな医院などはそうです。

医者というのは技術職であり、物品販売業ではありません。材料を仕入れたりすることはほとんどないので、仕入経費などはかからないのです。だから、基本的にあまり経費がかからないのです。

小さな医院ならば普通に計算すれば、経費は多くても50％くらいです。にもかかわらず約70％もの経費を自動的に計上できるのです。税額にして、５００万円～９００万円くらいの割引になっているといえます。

**開業医が儲かるはず**です。

この優遇制度は一部の批判を受け、縮小はされましたが、廃止されることなく現在も残っています。前記の税制は、縮小された後のものです。つまり以前は、もっと優遇されていたのです。

## 開業医の実質年収は5000万円

開業医の平均年収が3000万円というと、多くの人は「すごい」と思うはずです。

しかし開業医の場合、**実質的にはもっと年収が大きい**のです。

前項で述べたように、開業医は税金面で優遇されています。だから名目収入以上の収入があるのです

開業医の3000万円というのは、サラリーマンの年収3000万円とは全然違うのです。サラリーマンの年収3000万円は、実際に受け取った金額が3000万円であり、自分が使える金額（税金等も含む）も、それが上限です。

しかし開業医の場合、そうではないのです。

開業医の年収3000万円というのは、収入からさまざまな経費を差し引いた後の3000万円なのです。

自分が乗っているベンツも仕事に使うということにして、経費に計上しているはずです。医者は、他の事業者に比べてさまざまな経費が認められているので、実質的にはおそらくその倍くらいの収入はあるでしょう。

つまり開業医の実質平均年収は５０００万円程度だと推測されるのです。

こんなに優遇されている業種は、ほかにありません。

また開業医がこれほど優遇されていることに関して、特別な理由はまったくありません。開業医は収入が高い人が多く、日本の代表的な「金持ち職業」です。特別に税金を安くしなければならない合理的な理由がまったくないのです。

にもかかわらず、これほどに優遇されているのです。日本国憲法の「法の下の平等」に抵触するほどのレベルなのです。

しかも、これでもこの優遇制度は縮小されているのです。

昔はもっとひどい優遇だったのを国会などで批判されて若干、縮小されているのです。くり返しますが縮小されても、この優遇ぶりなのです。

このように開業医はさまざまな特権を持っており、その特権のために勤務医よりもはるかに高い収入を得られるようになっているのです。

そんなにたくさんの患者が押し掛けているようには見えない開業医が、ベンツなどの高級車に乗っているのは、この利権が大きくものを言っているのです。

だから、国公立病院や勤務医に流れるお金が非常に少なく、必然的にＰＣＲ検査機器や救急医療やＩＣＵ（集中治療室）に回されるお金が圧倒的に少なくなっているのです。

## 開業医には相続税もかからない

開業医の優遇制度については、さらに極めつけの話があります。

それは開業医は、**相続税も事実上かからない**ということです。

日本の金持ちの代表的な職業である開業医なので、相続税もそれなりに負担してほしいところです。

しかし実際には開業医は、ほとんど相続税を払っていないのです。別に脱税しているわけではないのです。制度上、相続税がかからないようになっているのです。

開業医の中には、市街地の土地など莫大な資産を持っている人が多くいます。収入が多いのだから、資産も多くて当たり前です。駅前の病院などは、大変な資産価値を持つ場合も少なくないのです。

これらの資産は、無税で自分の子供などに引き継がれるのです。

そのカラクリはこうです。

開業医は、自分の病院や医療施設を**医療法人という名義**にします。

医療法人というのは、医療行為をするための団体という建前です。学校法人や財団法人などと同じように、大きな特権を与えられています。

開業医がこの医療法人は作るのは、そう難しいことではないのです。

適当に役員名簿などを作成して申請すれば、だいたい認められます。

個人経営の病院と医療法人の病院がどう違うかというと、実際のところは全然変わらないのです。医療法人の病院は、ただ医療法人の名義を持っているだけです。

医療法人というのは、建前の上では「公のもの」という性質を持っています。しかしその医療法人を作った開業医が実質的に支配しているのです。

つまり医療法人というのは、事実上、特定の開業医が経営しているのです。

にもかかわらず、医療法人は相続税がかからないのです。

医療法人が持っている病院や医療機器というのは、あくまで医療法人の所有という建前があります。実質的には、開業医の所有物なのですが、名目的には医療法人の持ち物なのです。

だから実質上の経営者の開業医が死んで、息子が跡をついだとしても、それは単に医療法人の中の役員が交代しただけという建前になるのです。

名義上は、息子は父親の資産は何ひとつ受け取っていない、ということになります。実質的には、息子は父親の財産をすべて譲り受けているにもかかわらず、です。

このような具合に、開業医は相続の面でも非常に恵まれているわけです。

5浪、6浪をして医学部を目指しているという医者のバカ息子の話を時々聞いたことがあるでしょう?

これは、6浪したって開業医になれば、十二分に元が取れるからなのです。

## 開業医の子供は金を積んで医者になる

このような「開業医一族」への超優遇政策のため、実際に開業医の子供の多くは医者になろうとします。

日本の医学部の学生の約30％は、親が医師なのです。医者に占める開業医の割合がだいたい30％なので、「開業医の子供はだいたい医師になる」という図式がすでに数字の上でも表れているのです。

しかも開業医の子供に「優秀な子」は、それほどいないのです。それはデータにも表れています。

というのも親が開業医をしている医学部学生の約半数が私大の医学部です。親が開業医ではない医学生の国公立大学の在籍率が80％を超えています。このことから**「開業医の子供が私大の医学部に入る割合は異常に高い」**ということになります。

学力の偏差値でいうと、国公立大学の方が私大よりも平均するとかなり高くなっています。私大の医学部でも偏差値が非常に高いところもありますが、全体をならせば国公立のほうがかなり高いことになります。

私大の医学部の学費は、6年間で3000万円以上かかるとも言われ、金持ちじゃないと行けないところでもあります。

**「開業医の子供が金を積んで医者になる」**という図式は明確に存在するわけです。

## 開業医は競争も少ない

現在、日本では開業医は10万件程度ありますが、年間に増える開業医は500件程度です。つまり、0・5%しか増えないのです。

開業医がこれほど優遇されているのであれば、もっと開業医が増えてもよさそうなものです。

しかし開業医は、それほど急増していないのです。

それは、日本の開業医のシステムが急増をさせないようになっているからです。

まず個人の診療所を開業する場合は、最初は相当の設備投資がかかります。だから、お金がない人は開業できないのです。

そして全国の開業医同士では、「自分たちのテリトリーを侵さない」という**暗黙の了解**があるのです。

各大学の医学部などで、地域ごとにテリトリーのようなものがあるのです。しかも各大学の医学部の中で、開業するときに「近い場所では開業しない」という暗黙の了解のようなものがあります。

そのため開業医はいったん開業してしまうと、激しい競争にさらされることはないのです。特に地方では、その傾向が強くなっています。

そのため地方の個人医院などでは、息子が何浪をしても、医学部に行かせるというような傾向が強いのです。どんなに医者としての素養がなくても、とにかく医者の免許さえ取れれば、やっていけるシステムになっているからです。

## どう考えてもおかしい「開業医優遇制度」

「勤務医より開業医のほうがはるかに収入が高い」

という事実は、日本の医療制度をゆがめたものにしています。

現在、日本では、国公立病院の勤務医が不足しているという現状があります。特に、救急医療などの人々の生命に直結する分野で医者の数が全然足りていないのです。

これが、日本の新型コロナ対策を逼迫《ひっぱく》させた大きな要因のひとつなのです。

このことをせんじ詰めれば**「開業医優遇制度」**に行き着くのです。

開業医に集中しているお金を、医者全体に分散すれば、勤務医になる人も増えるはずです。勤務医の人手不足も解消されるはずです。

筆者はいろんな場所で、開業医の優遇制度について批判していますが、それについて時々、開業医の方から反論のメールなどをいただきます。

「開業医も大変なんだ。医者としての仕事と同時に、経営もしなくてはならない。税金の細かい計算までしていては大変だ」

「そんなに儲かっている開業医ばかりではない」

というようなものです。

もちろん、開業医の仕事が大変だということは、筆者にも想像できます。それでも**「それとこれとでは話が違う」**のです。

仕事が大変だからといって、制度的に優遇されていい理由にはなりません。

世の中には、大変な仕事はたくさんあります。その全部に対して「仕事が大変だから」という理由で優遇制度を設けていれば、国の経済は破綻してしまうはずです。

また「本当に開業医が儲かっていない」のであれば、やめればいいだけの話です。人口が減っているのだから、開業医も減っていいはずです。大きな国公立総合病院の近くにある開業医などは、国民にとってあまり存在意義がないのですから、どんどん統廃合されるべきなのです。

ほかの業界では儲からなくなれば、事業者は淘汰されます。またあまり優秀ではない事業者も淘汰されます。

しかし開業医の場合は、そういう**「市場ルール」**がまったく働いていないのです。それは開業医たちが、淘汰されないように無理やり国に働き掛けて優遇させ続けてきたからなのです。

国民の福祉のために過大な労力を強いられている人に優遇制度を適用するというのは、筆者としても、まったく文句を言うつもりはありません。

たとえば夜間の急患を受け入れる小児科の開業医や、医者のいない僻地《へきち》で開業医を細々と営んでいるような医者たちに対して、一定の優遇制度をつくることは、まったくやぶさかではありません。

むしろ、そういう優遇制度はもっと拡充すべきだと思っています。

しかし、開業医全体を一律に優遇している今の医療制度は、日本の医療を確実にゆがめているのです。

本当はそれほど必要でない医療機関がいつまでも残っていたり、本当は医者に向いていない人が強引に医者になってしまうということが、日本の医療では多々見られます。

それは元をただせば、この開業医優遇制度に行き着くのです。

もし開業医が優遇制度によって得ている収入を他に分散すれば、国公立病院の医者不足などすぐに解消するのです。

## 新型コロナの最前線で頑張っているのは勤務医

「医療関係者が頑張っているときに医療の批判をするな」と思われる方もいるでしょう。

しかし、日本中の注目が集まっている今だからこそ、**医療システムの欠陥を見直す**ことができるいい機会のはずです。

そして、これは特に特に言いたいことなのですが、今、新型コロナウイルス感染症との戦いのために最前線で頑張っているお医者さんのほとんどは開業医ではなく、勤務医なのです。

新型コロナの患者を積極的に受け入れているのは、国公立病院や純然たる非営利の病院がほとんどです。重症患者などの治療に懸命にあたっているお医者さんのほとんどは、勤務医なのです。

日本の医療界の中で、決して厚遇されていない勤務医の方々が一番過酷な場所で頑張っておられるのです。

このことについて、日本人は目をしっかり見開いて直視しなければならないと筆者は思うのです。

今の日本の医療制度は絶対におかしいのです。

優秀な人材が医者になれるシステム、ちゃんと仕事をしている人、本当に優秀な人がそれに応じた報酬を得られるシステムにしないと、日本の医療は本当に崩壊してしまうでしょう。

# 第2章

# なぜ日本の予算は肝心なときに使えないのか？

## 新型コロナ対策が遅れを取った財政的理由

新型コロナに関しては、日本政府の初動の遅れがさまざまなところで叩かれています。日本では今のところ欧米に比べれば、感染者や死亡者はそれほど多くはありません。ところが日本では、ごくごく一部の条件に当てはまる人にしかＰＣＲ検査を実施していません。

感染の疑いがあっても検査を断られている人もいますし、当初、政府の公報では「軽症であれば自力で治るので病院には行くな」という通知まで出しています。

これは「軽症ならば感染していても放置する」ということです。つまり政府は「拡大することを根本的に食い止める」つもりはなく、病院が重症になった人を助けることにシフトしていたということです。

このことは時を経るごとに、大きな矛盾となって日本社会を苦しめています。

また日本政府は、これまでみっともない対応を連発してきました。

武漢にチャーター便を飛ばしたはいいけれど、帰国者を隔離するために用意した宿泊場所は部屋が十分に確保できておらず、一部の帰国者は相部屋になるという体たらくでした。感染の疑いのある人と2週間も相部屋で暮らすというのは、恐怖以外の何物でもありませんよね？

しかも、政府はチャーター便での帰国者に対し飛行機代を請求するという、みっともなさです。これはあまりに批判を浴びたため、後に撤回しましたが。

なぜ政府の対応が後手後手に回っているかというと、実は最大の理由は**「予算がない」**ということなのです。

日本政府は年間予算が100兆円という超大きな予算規模を持っています。にもかかわらず、予算がないとはどういうことでしょうか？

あまり知られていませんが、安倍内閣になってから日本の予算の「予備費」が大幅に削られているのです。

「予備費」というのは、国に何か起こったときのために自由に使えるお金のことです。

国に重大なことが起き、大きな予算が必要になった場合、補正予算が組まれます。今回も補正予算が組まれています。が、補正予算を組むには国会の審議、議決が必要となり、

## 日本の予備費の推移

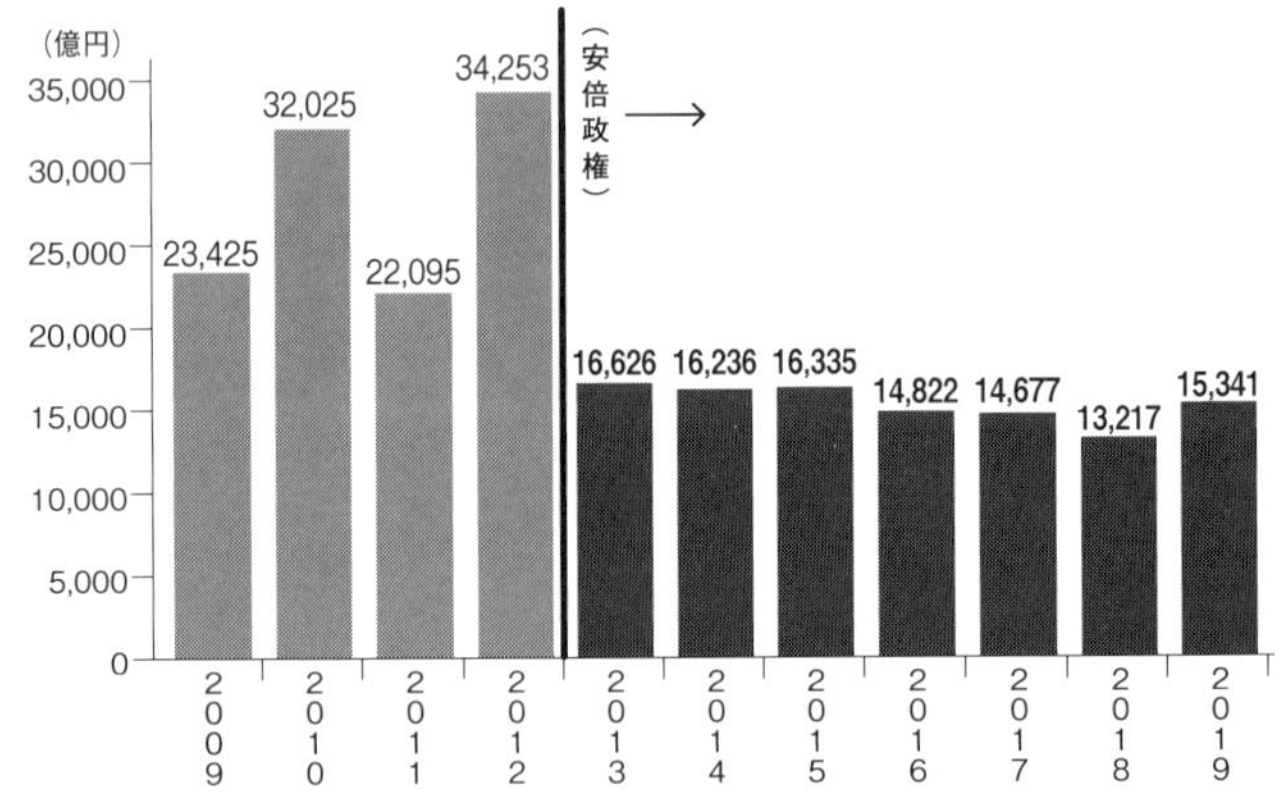


経済対策予備費、復興予備など予備費全般を含む

時間がかかります。

そのため時間的猶予のない非常時において、すぐに使えるお金ということで、国家予算には「予備費」という項目が設けられているのです。

この予備費が、安倍内閣では異常に少なかったのです。

上が昨今の日本の予備費の推移です

この推移を見ると、安倍内閣になってから予備費が激減していることがわかるはずです。

ほぼ半減しています。

予備費が少ないということは、「国に何かあったときにすぐに対応できない」ということなのです。

感染の疑いのある人全員に検査ができなかったのも、帰国者一人一人に個人部屋を用意できなかったのも、緊急事態宣言をすぐに出せなかったのも、営業自粛者に満足な補償を出せないのも、せんじ詰めれば**お金がなかった**からなのです。

春節前に中国人の入国を拒否しなかったのも、中国人観光客が来なくて観光業が大打撃を受けたとき、政府はそれを救援するためのお金がなかったからなのです。

政府は2020年2月15日に新型コロナ対策として153億円程度の支出をすると発表しました。

100兆円の予算規模を持つ国が、国難ともいえる疾病の対策でわずか153億円しか支出しないとはどういうことでしょう？

怒りを通り越して唖然《あぜん》としてしまいます。

その一方で、テレワークや時差出勤、公演や催しものの自粛要請など、政府自体は金を使わず、国民に負担をもたらすような施策ばかりを取り続けました。

国民もさすがにこれには怒りの声を上げだしたので、安倍首相は2月29日に慌てて会見をして2700億円の予備費の活用を示唆しました。

その会見では「２７００億円の予備を活用する」とは言いましたが、２７００億円を出すとは言いませんでした。

「今、予備費が２７００億円残っているから、それを活用します」

と言っているだけだったのです。

つまり２７００億円の中からいくら出すかは、これから決めるというわけです。


そして本当に驚くべきは、日本の予備費の残額が２７００億円しかないということです。

２７００億円しか予備のお金がなかったら、もしこれから何か起こったらまったく何も対応できないはずです。

たとえば、もし北朝鮮関係で紛争などが勃発《ぼっぱつ》したら、日本政府はどうするつもりなんでしょう？

それにしても、なぜ安倍内閣の予備費はこんなに少ないのでしょう？

少子高齢化対策で予算が回らなかった？

いいえ、違います。安倍内閣は少子高齢化対策にそれほどお金は使っていません。教育関係費などは大幅に減額したりもしているのです。

ではなぜ予算がなくなったかというと、自民党の支持者回りに巨額の予算をばら撒いたからです。

## 安倍内閣は削った予備費を何に使ったのか？

前項でご紹介した安倍内閣の予備費の推移を見ると、安倍内閣になってから予備費が1兆～2兆円減っていることがわかります。

もともと2兆円から3兆円しかない予備費を1兆円以上も削るのですから、「そりゃあ、何か起こったときに対応できないだろう」ということです。

当初、日本政府が新型コロナ対策で動いたことといえば、イベントの中止要請、外出自粛、飲食店への出入りの自粛等々。国民に自粛を要請することばかりです。

しかもこの自粛に際して、経済的な打撃を受ける人たちへの補償は示されていませんでした。国民の批判を受けて、ようやく補償に関して検討するようになりました。が、営業を自粛した事業者に対しての補償は自治体の判断に任され、国が補償することはありませんでした（2020年5月現在）。

それもこれも日本政府には、財源の余裕がないからなのです。

日本政府は１００兆円の規模を持っているのですが、その予算の使い道は族議員等によってガチガチに支配されているので、いざというときに出せるお金がないのです。

首相が緊急事態宣言をなかなか出せなかったのも、本来は、緊急事態宣言を出せば経済的な打撃を受けた人々に、国が何らかの補償をするのが当たり前だからです。

欧米諸国が国民に手厚い補償をしてロックダウンをしたことを見れば、日本政府のケチケチぶりは一目瞭然《いちもくりょうぜん》です。

## そもそも予備費が大きく増減すること自体おかしい

そもそも先進国の歳出というのは、本来それほど各項目の金額増減があるものではありません。

各項目の大枠はある程度決まっていて、議会などで決められるのは微調整や臨時的に必要な支出についてだけなのです。日本のように「予備費」が政権交代によって半減するなどということは、欧米の先進国ではほぼあり得ないことなのです。

日本の場合は、なぜか歳出の各項目について、毎年、毎年、一から決められる建前になっており、かなり増減幅が生じるのです。つまり、予算決定の仕組みにおいて、政治家や財務官僚の裁量の余地が大きいのです。このことが、政治の腐敗や財務官僚の権力の巨大化につながっているのです。

また本来、予備費というのは、予算の中で決められた割合でストックされるものなのです。政権の裁量で増減されるというのは、おかしいことですし、日本の歳出の大きな欠陥でもあるのです。

これは日本の財政の大きな欠陥ではありますが、本書のテーマからははずれるのでこれ以上は言及しません。

## 社会保障関係費と防衛費の増額は仕方がないとしても

次に、安倍内閣は削った分の予備費を何に使っているのか、具体的に見ていきましょう。

安倍内閣になって増加した歳出項目には、まず社会保障関係費があります。

が、この社会保障関係費は逓増《ていぞう》という感じです。また安倍内閣以前からずっと増え続け

## 国の歳出から出ている社会保障関係費

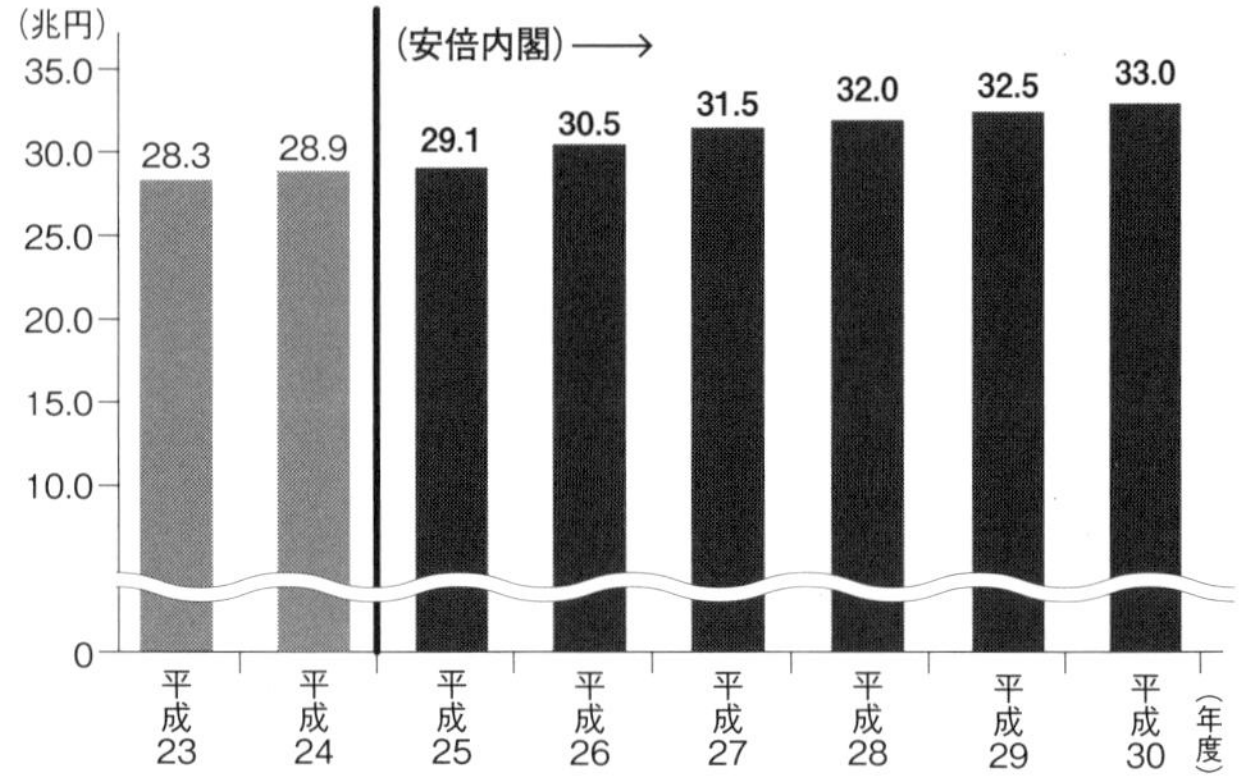


厚生労働省作成資料「最近の社会保障関係費の伸びについて」より

ているので、安倍内閣に限って増加した予算とは言えません。

国の歳出から出ている社会保障関係費は上の通りです。

この社会保障関係費の推移を見ると、高齢者が増えている割にはそれほど社会保障関係費は増えていないことがわかります。むしろ、高齢者の増加の勢いと比較すれば「抑制している」とさえ言えるでしょう。

またこの程度の増加率では、予算を圧迫しているとまでは言えないはずです。この程度の増加であれば、税収の自然増やほかの項目の費用を少し削減すれば、十分に賄える額だといえます。

## 防衛費の推移

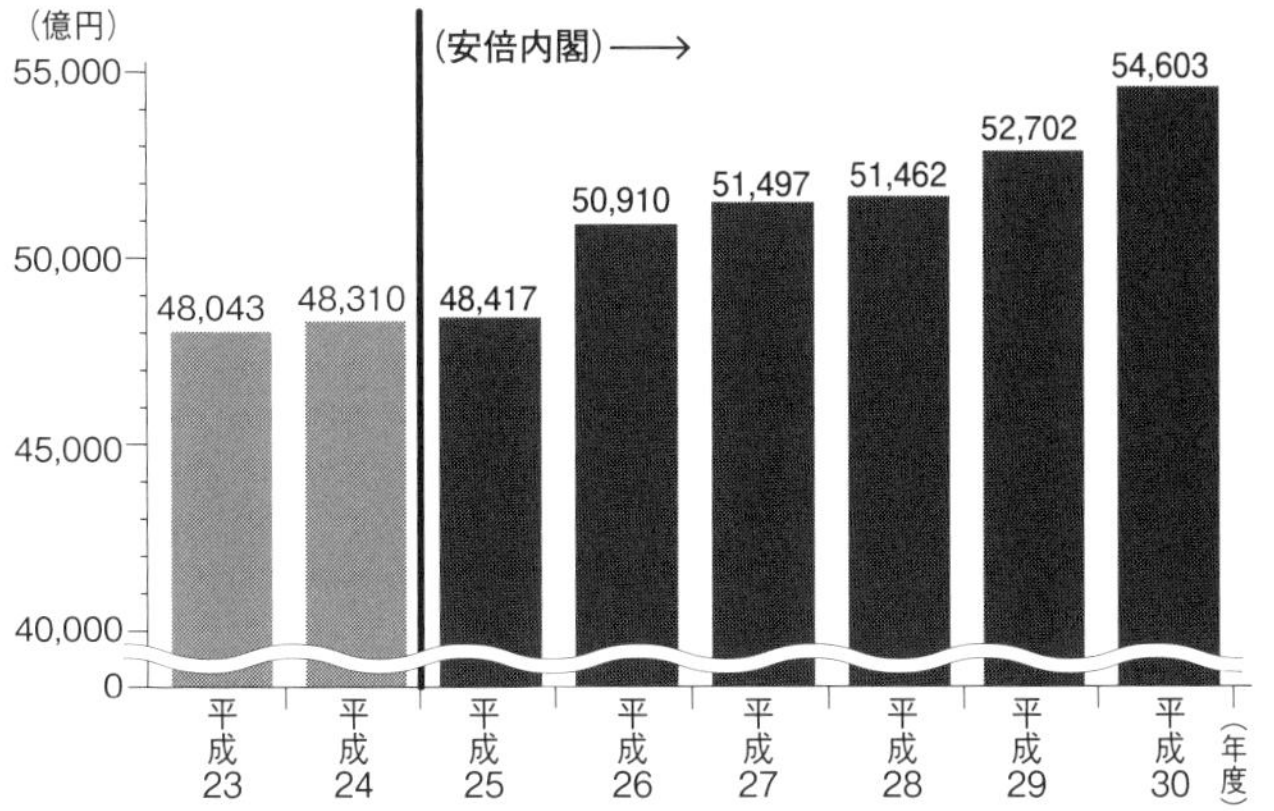


財務省統計表第18表より

「社会保障費の増大のために増税が必要」という消費税増税時の言い訳は、かなり無理があるといえるはずです。

社会保障関係費の次に安倍内閣で歳出が増加した項目で目につくのが防衛費です。

防衛費の推移は上の表のようになっています。

まあ、防衛費の増加は北朝鮮情勢や中国の海洋進出などもあったので、この程度の増加はそれほど目くじらを立てるものではないと言えるでしょう。

## 自民党の支持基盤に予算をばら撒く

問題はこれからなのです。

安倍内閣の歳出増加項目で次に目立つのは、道路整備事業費、港湾空港鉄道整備事業費、農林水産基盤整備事業費などです。

安倍内閣になってから道路整備事業費、港湾空港鉄道整備事業費、農林水産基盤整備事業費が、合わせて7000億～8000億円増加しています。

安倍内閣直前の平成22年度と平成23年度の予算は東日本大震災の対策費用もあり、例年よりも多くなっています。

だから安倍内閣以前の標準値としては、平成24年度の金額だといえます。

この推移を見ると、安倍内閣は東日本大震災の直後よりも、さらに多くの支出をしているのがわかります。

かなり露骨な歳出増額といえるでしょう。

## 整備事業費の推移（道路・空港鉄道・農林水産基盤）

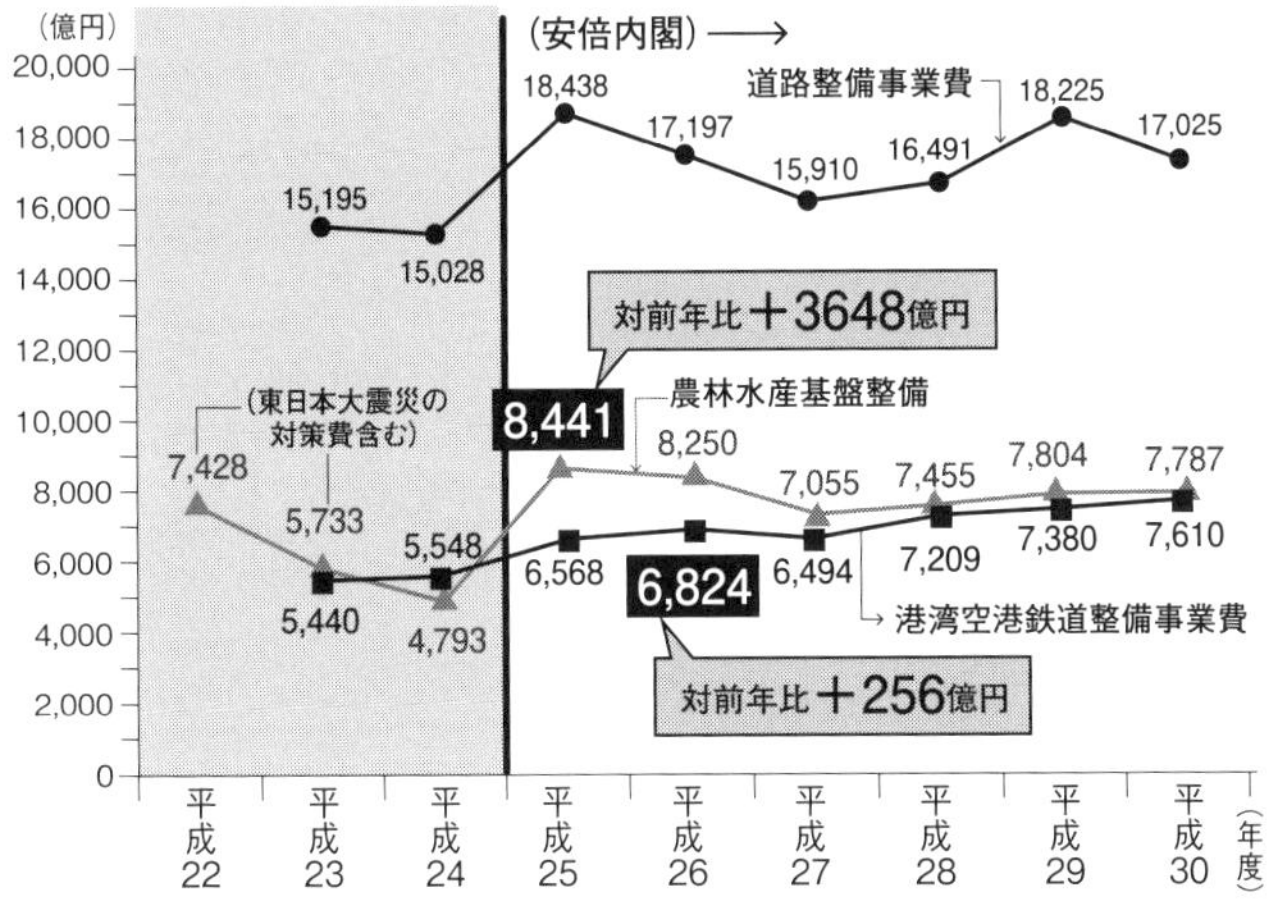


財務省統計表第18表より

そして見逃してはならない点があります。道路、港湾空港、農業という業界は、昔から自民党の重要な支持基盤だということです。

安倍内閣発足の年である平成25年には、農林水産、道路、港湾空港鉄道などの整備事業に対して前年比で約8000億円もの増額をしているのです。

このとき予備費は1兆円以上削られています。

見方によっては、安倍内閣は予備費を削って、農林水産、道路、港湾空港鉄道の整備事業費に回したということもいえるのです。

農業の優遇というと、当初、自民党は新型コロナの経済対策として「お肉券」などを発案しました。このときは、「利権がらみ」だとして世間の激しい反発に遭い、撤回せざるを得なくなりました。国民が薄々感じている通り、政府は農業に対して著しい「優遇」があるのです。安倍内閣の予算を見ても、そう言わざるを得ません。

この政府の過度な農業優遇政策は、日本の社会全体をいびつなものにしています（詳しくは後述）。

## 安倍首相の地元で公共事業が激増！

また安倍政権になって露骨に増加した予算があります。

それは、「安倍首相の地元の公共事業」です。

あまり話題になることはありませんが、実は安倍首相が首相に再就任して以来、安倍首相のおひざ元である山口県の公共事業費は激増しているのです。

国土交通省のサイトから都道府県別の国の公共事業の支出額を見てみましょう。

安倍首相が首相に再就任したのは２０１２年の12月です。

## 山口県の公共事業受注額（国の予算）

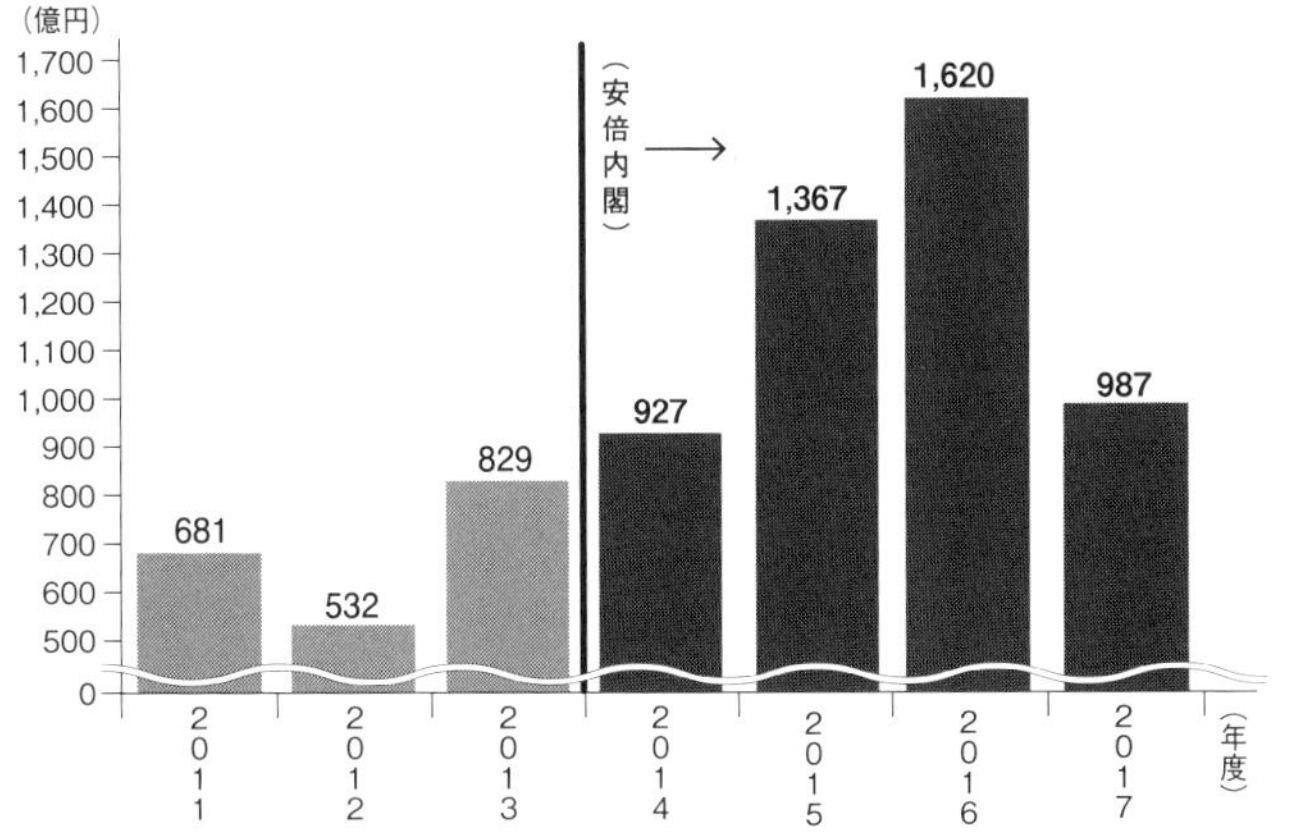


だから安倍内閣は、２０１３年分から予算策定しているわけです。

そして２０１３年から山口県の公共事業受注額がうなぎ登りに増加しているのです。

安倍首相が再就任する前の２０１２年では、山口県の公共事業費は５００億円ちょっとでした。

が、２０１３年から激増し、２０１６年は１６００億円もの公共事業を受注しているのです。なんと２０１２年の3倍以上です。

２０１７年には、かなり下がっていますが、このときは森友問題などが発覚しており、さすがにまずいと思って下げたのでしょう。

それでも、県民１人あたりの公共事業費は全国平均の2倍以上となっているのです。

## 国体開催年よりも安倍首相就任以降のほうが巨額

山口県では２０１１年に国体（国民体育大会）が開かれています。

国体というのは、各都道府県が持ち回りとなっており、国体が開催される県は国からそれなりの公共事業費が投じられるため、インフラ整備としての役割があります。

47年に1回、国体が開催されることで、各都道府県はインフラを大きく整備できることになっているのです。だから、２０１１年の６８１億円というのは、国としては山口県に大盤振る舞いをしたわけです。

実際、２０１１年の山口県の県民１人あたりの公共事業受注額は、全国平均の2倍を超えています。

しかし、その国体があった２０１１年よりも、安倍首相が再就任してからのほうが、はるかに巨額の公共事業を受注しているのです。

２０１５年、２０１６年にいたっては、都道府県民１人あたりの公共事業受注額は、全国平均の約3倍なのです。

これは沖縄、北海道や復興事業が行われている東北地方を除けば、異常に高い数値です。

**山口県民1人あたりの公共事業費**

**2012年（安倍首相再就任前）**
山口県・約3万9000円　全国平均・約2万9000円

**2013年（安倍首相再就任以降）**
山口県・約6万1000円　全国平均・約4万円

**2016年（安倍首相再就任以降）**
山口県・約11万8000円　全国平均・約3万5000円

## 山口県民1人あたりの公共事業費は隣県の6倍

山口県の隣県である広島県と比較すれば、山口県への異常な優遇ぶりがわかるはずです。

山口県と広島県は、同じ瀬戸内海に面した中国地方の県であり、地域的な条件はあまり変わりません。

広島県の人口は約280万人です。山口県はその半分以下の約133万人です。

両県は、安倍首相の再就任前までは、県民1人あたりの公共事業費はそれほど大きな違いはありませんでした。

しかし安倍首相の再就任以降、山口県の予算は急増し、広島県の予算は急減するのです。

2014年以降は、人口が半分以下の山口県の方が広島県よりも公共事業費の総額で上回っています。

県民1人あたりにすると山口県は広島県の2倍以上となっており、2016年にはなんと7倍以上になっているのです。

国は「山口県では2016年に日露首脳会談が行われており、そのために公共事業費がかさんだ」などと言い訳するでしょうが、主要国との首脳会談などは毎年のように行われているものです。そのたびに公共事業費が跳ね上がっていては、歳入がいくらあっても足りないというものです。

また日露首脳会談が行われたのは2016年であり、たかが一国との首脳会談で準備に何年もかけたわけではないので、同年以外の公共事業費の激増は説明がつきません。

そもそも日露首脳会談を安倍首相のおひざ元でわざわざ行うこと自体、不自然なのです。

山口県は、他の主要都市に比べるとインフラ等が整っていないので、ここで主要国との首脳会談などを行うと、建設費や警備費がかさむことはわかっていたはずです。

外国人が喜ぶ京都などで行うならまだしも、それほど有名ではない山口県で行う必要はなかったはずです。

とにもかくにも、国の公共事業費の山口県への支出は、明らかに不審な点があるということです。


**山口県と広島県の県民１人あたりの公共事業費**

**２０１２年（安倍首相再就任前）**
山口県・約３万９０００円　広島県・約３万１０００円

**２０１３年（安倍首相再就任以降）**
山口県・約６万１０００円　広島県・約３万２０００円

**２０１６年（安倍首相再就任以降）**

山口県・約11万８０００円　広島県・約１万７０００円

まあ、これらのデータを見れば、安倍首相が再就任して以降、山口県が異常に公共事業で優遇されていることは、どう頑張っても否定できないところです。

これらは、国土交通省のサイトでは公表されているデータであり、だれでも見ることができます。

だれでも見ることができるデータの中で、これほど明確に地元を優遇しているのだから、そのわきの甘さには、驚嘆してしまいます。

そして、だれでも見ることのできるデータでさえ、これほど優遇されているのがわかるのですから、データで見えない部分は、さらにもっとすごいことになっていることが予想されます。

このような**「身内ばかりに税金をばら撒いてきたこと」**が、大事なときに使える税金がないということにつながっているのです。

# 公共事業は地方を殺す

「地元の公共事業を増やす」

というのは、何も安倍首相だけが行ってきたわけではありません。

日本の政治家のお家芸ともいえる政治手法です。

日本では、公共事業というのは、非常に税金の無駄遣いになりやすいものです。

日本では公共事業が、政治家に食い物にされていました。有力な国会議員などが地元に公共事業を誘致することで、その政治手腕を誇示する。それにより政治資金や支持者を集めるというのが、政治家の選挙戦略の有力な手段となっていたのです。

公共事業を受注する建設業者は、政治家を強力に支持する母体になっています。彼らは支持者を集めるだけではなく、政治資金も提供するのです。

日本の政治家の半数近くが、建設業者によって食わせてもらっているような時期もありました。政治家は公共事業を誘致して建設業者を潤す、建設業者は寄付をして政治家に還元する、こういう食物連鎖が完全にでき上がっていたのです。

さすがに昨今では、政治家と公共事業受注者の癒着が問題視されるようになり、また無駄な公共事業がいろいろと批判されてきたことなどから、若干は縮小しています。それでも安倍首相の例を見ればわかるように、まだまだ「地元への公共事業の誘導」というのはなくなっているわけではないのです。

この地元への公共事業誘導というのは、日本国の大事な税金を無駄にするので、国にとって災厄なのですが、**実は地元にとっても災厄**なのです。

なぜなら、かつて公共事業が盛んに行われていた地域というのは、どこも人口流出が止まらず衰退しているのです。

そのわかりやすい例が島根県です。

島根県は1980年代から2000年代にかけて、日本で巨額の公共事業を受けてきた県の代表格です。

島根県は、故竹下登元首相や青木幹雄元参議院議員など有力な国会議員を輩出してきた県です。島根県出身の国会議員たちは、こぞって島根県に公共事業を誘致し、そのことで自らの政治権力をアピールしてきました。

このため島根県の経済は、この数十年公共事業にまったく頼りきった体質になってしまったのです。県民1人あたりに使われる公共事業費は、全国で常時5位以内に入り、北海道や沖縄に匹敵するほどの公共事業を受注してきました。

それほどの税金を使われながら、島根県は、80年代から現在にかけて人口が20％も減少してしまいました。つまり、公共事業をもっとも多く受注していた時期に、激しい人口流出が起きていたのです。

2000年代には人口流出で常時ワースト10に入る過疎県となってしまいました。人口が減りすぎたため、昨今では流出率こそワースト10からはずれていますが、それでもワースト15位くらいを前後しています。

つまり公共事業というのは、地域の発展にほとんど寄与していなかったのです。

公共事業の受注は、政治家にコネがあるものや地域の有力者を中心に行われます。その地域全体が潤うものではなく、特定のものが繰り返し潤うというものです。

だから公共事業費は、景気を刺激するものでもなければ、大きな雇用を生み出すものでもないのです。

またその地域が公共事業に依存する体質になってしまうと、常に税金に頼っていかなければならなくなります。つまり真に自立した経済力を持てないのです。

にもかかわらず国会議員は地元に公共事業を誘致し続けてきました。

公共事業を誘致すれば、一時的に経済は上向きます。

巨額のお金が地域に落ちるから当然といえば当然です。しかし公共事業は、その地域に真に経済力をつける施策ではないのです。公共事業というのは、**一時的な痛み止めモルヒネのような麻薬**なのです。

「愛する故郷のために」などと連呼していた国会議員たちは、実は地元をモルヒネ中毒にし、地域経済を根本的に破壊していたのです。

彼らは本当は故郷を愛してなどいないのです。自分の選挙対策だけを考えていたのです。

## 公共事業大国なのにインフラ後進国

公共事業の話をもう少し掘り下げます。

というのも、日本の公共事業への浪費は「医療システムの不備」や「社会保障の貧困」

にも大きく関係しているからです。新型コロナ対策が後手に回ったのも、公共事業の浪費が遠因となっているのです。遠因といっても、決してそれほど遠いものではありません。

日本は公共事業大国と呼ばれています。

1990年代から2000年代にかけて、日本はGDPの5～6％もの公共事業を行っていました。これは防衛費の4～5倍という巨額なものです。先進諸国の公共事業の平均が2％程度なので、日本は先進諸国の2～3倍の公共事業を行っていたのです。

あまりに公共事業が多すぎるということで批判を浴び、昨今では公共事業は削減されてきています。それでもGDPの3％程度あり、先進諸国の中ではもっとも高い部類になります。

この莫大な公共事業費は、政治家と建設業界の利権になっていることは前述した通りです。百歩譲って、この公共事業が国のためになることに使われていたのならば、まだ納得できます。が、バブルから昨今までの日本の公共事業は、ほとんど金をドブに捨てるような使い方をされているのです。

日本人の多くは、「日本は世界的に見て社会インフラが整備された国」と思っているようです。

しかし、日本が「世界的に見て社会インフラが整備された国」だったのは、半世紀以上前の話です。現代では、日本は**社会インフラ後進国**とさえいえるのです。つまり日本は莫大な公共事業費を使っていたにもかかわらず、この半世紀、まともなインフラ整備を行ってこなかったのです。

国公立病院が少なすぎるのも社会インフラの不整備なのですが、日本の場合はそれだけではないのです。

基本的な社会生活インフラが驚くほど不整備なのです。

## 日本の下水普及率はアフリカ並み

いくつか例を示しましょう。

たとえば、下水処理です。

日本の下水道の普及率は70%台の後半です。これはヨーロッパの普及率とほぼ同じ程度です。だから、これだけを見ると、日本の下水道普及に問題があるようには見えません。

しかし、この日本の下水道普及率にはカラクリがあります。

日本の場合、人口の4分の1が首都圏に住むという極端な人口集中があります。

そのため必然的に下水道普及率が上がっているのです。

首都圏は比較的、下水道が整備されているので、地方から首都圏に人口が流入すれば、何もしなくても、下水道の普及率（人口比）は上がるのです。

だから日本の場合、地方では下水道の普及率が、先進国の割に非常に低いのです。

50％を切っているところも珍しくないのです。

下水道の普及率で、特にひどいのは四国です。4県のうち3県が50％を切っています。

坂本龍馬の出身地として有名な高知県は、39・5％です。

徳島県にいたっては18・1％です。

なんと県民のほとんどは、下水道のない生活を送っているのです。

この数値はアフリカ並みなのです。広大な砂漠、ジャングルや草原を持つアフリカ大陸と徳島県は、下水道の普及率に関する限り、ほぼ同じなのです。

他にも、鹿児島、香川、和歌山などが50％を切っています。

## 下水道の普及率が低い県

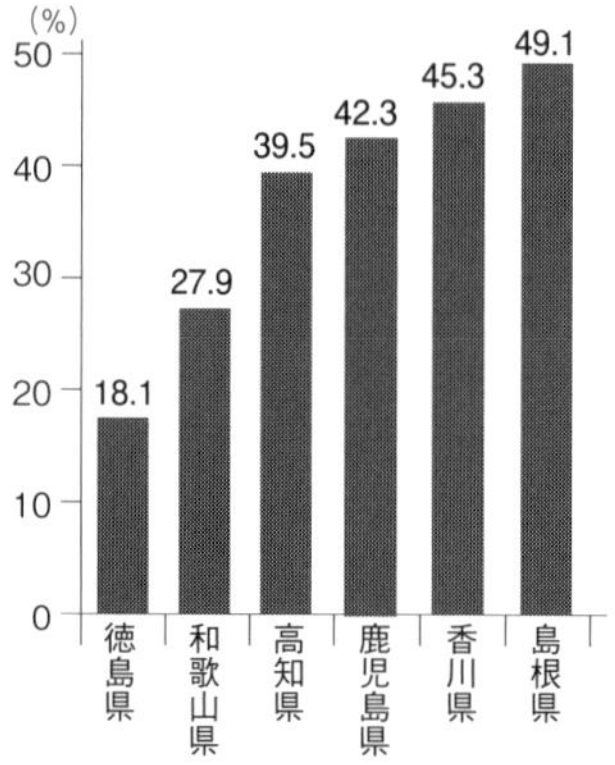


## 世界の下水普及率

(下水接続割合)

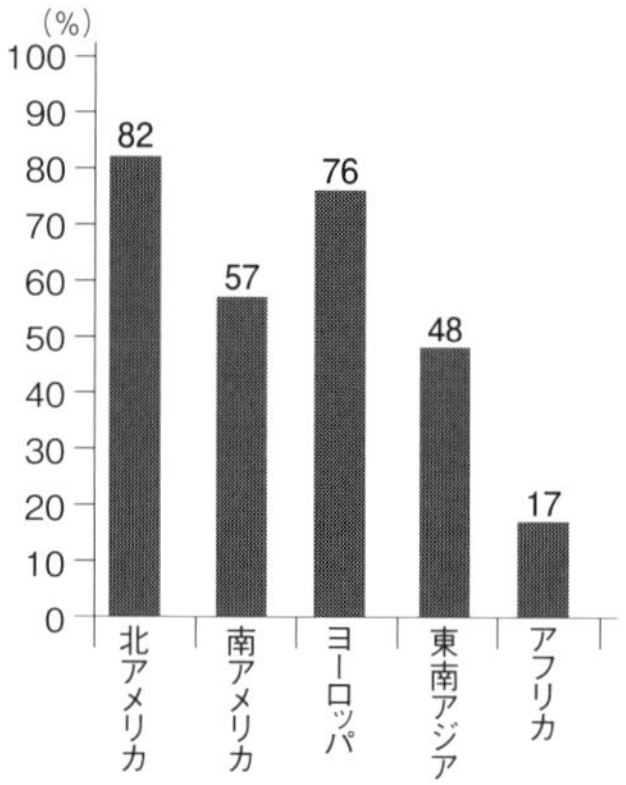


下水道がない地域では、各家庭が浄化水槽を準備しなくてはならないなど、余分な負担が大きいのです。

下水道などの整備は、社会インフラの基本中の基本だといえます。この基本中の基本のインフラ整備さえまともにできていないのです。

このような地方のインフラ整備の遅れが、ますます東京一極集中を加速させているともいえます。

もちろん下水道だけじゃなく、さまざまなインフラを含めての話です。地方の人は、インフラの整っていない地元を捨て、都会に出てくるのです。ひいては、それが都心部での人口集中を招き、殺人ラッシュアワーなどを

ご購読ありがとうございました。今後の出版企画の参考に
致したいと存じますので、ぜひご意見をお聞かせください。

# 書籍名

お買い求めの動機

1　書店で見て　　2　新聞広告（紙名　　　　　　　　　）

3　書評・新刊紹介（掲載紙名　　　　　　　　　　　　）

4　知人・同僚のすすめ　　5　上司、先生のすすめ　　6　その他

本書の装幀（カバー），デザインなどに関するご感想

1　洒落ていた　　2　めだっていた　　3　タイトルがよい

4　まあまあ　　5　よくない　　6　その他(　　　　　　　　　　　　)

本書の定価についてご意見をお聞かせください

1　高い　　2　安い　　3　手ごろ　　4　その他(　　　　　　　　　　)

本書についてご意見をお聞かせください

どんな出版をご希望ですか（著者、テーマなど）

郵便はがき

料金受取人払郵便

牛込局承認

9410

差出有効期間
2021年10月
31日まで
切手はいりません

162-8790

107

東京都新宿区矢来町114番地
神楽坂高橋ビル5F

株式会社ビジネス社

愛読者係 行

| | | |
|---|---|---|
| ご住所 〒<br>TEL:　　（　　）　　FAX:　　（　　） | | |
| フリガナ<br>お名前 | 年齢 | 性別<br>男・女 |
| ご職業 | メールアドレスまたはFAX<br>メールまたはFAXによる新刊案内をご希望の方は、ご記入下さい。 | |
| お買い上げ日・書店名<br>年　月　日　　市区 町村　　書店 | | |

引き起こしているのです。

先進国のほとんどは、日本のような人口の一極集中はありません。国土の各地に、都市が分散しています。それはインフラ整備の充実が大きく関係しているのです。

## 地震、台風大国の日本で電柱が多いという謎

また日本の社会インフラ不足の最たるものとして「電柱」があります。

日本では、街中に電柱があるのはごく当たり前ですが、先進国にはほとんどないということをご存知でしたか？

先進国の大半で、電線は地中に埋めているのです。先進国の中で、これほど電柱があるのは日本だけなのです。

国土交通省の発表データによると、先進国の「無電柱化」は次ページのようになっています。

これを見ると、先進国はおろか香港や台北でも、**ほぼ無電柱化が達成**されているのです。

## 先進国の「無電柱化」

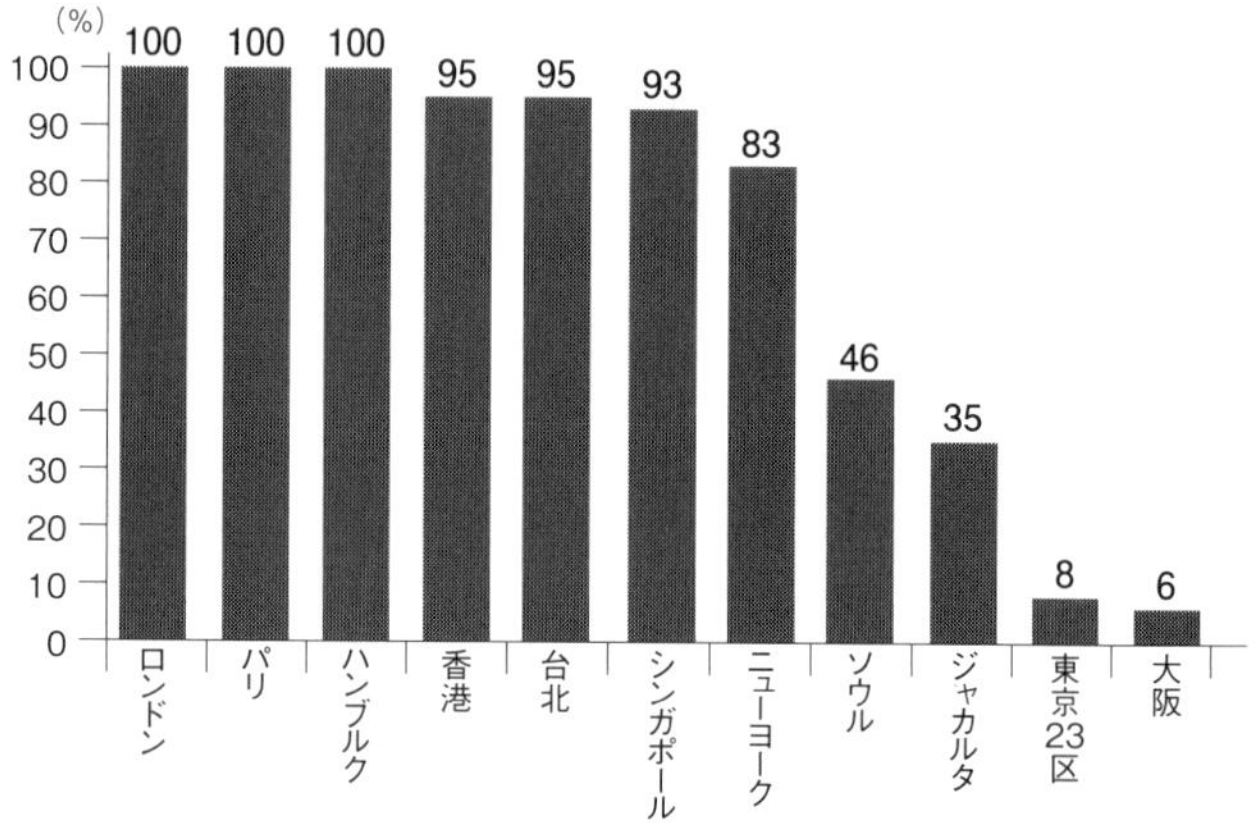


隣国のソウルでさえ、46%も進んでいるのです。

東京都の8%、大阪府の6%というのは、異常に低い数値です。

電柱は、地震、台風などの災害時に大きな危険要素となります。

地震や台風が頻発する日本こそ、無電柱化をどこよりも進めなくてはならないはずなのに、この体たらくはどういうことでしょう?

無電柱化の推進というのは、阪神淡路大震災のころから言われていました。ところが30年経っても、まったく進んでいないのです。

無電柱化の費用は、日本では国、地方、電力会社の三者が3分の1ずつ負担することになっています。これは建前の上そうなっているだけであって、国が全部負担してもいいのです。また電力会社が負担してもいいのです。日本は世界的に見て電気代が高いのですが、その高い電気代は電力会社幹部らのバカ高い報酬に消えているのです。

国や電力会社は無電柱化が進んでいない理由をいろいろ述べていますが、**要はやる気がなかった**だけなのです。ＰＣＲ検査と同様、利権に結びつかない支出は、なかなか実行したがらないのです。

日本は、１９９０年代から２０００年代にかけて、10年間で６００兆円以上という狂乱の大公共事業を行いました（土地の購入費を含む）。

しかし、この大公共事業では、道路や箱モノばかりが作られ、下水道の普及や無電柱化はそれほど進まなかったのです。この大公共事業時代に、ちゃんと予算を下水道や無電柱化に振り分けていれば、今頃、日本では、国の隅々まで下水道が普及していたはずです。

またこの「狂乱の公共事業時代」にほんの少しでも国公立病院の建設や感染症対策、ＩＣＵ設置などにその費用を振り分けていれば、新型コロナの被害はもっともっと少なくて済んだはずです。

その一方で、道路建設など政権の利権に結びつく事業は、めちゃくちゃに行われました。

この時期、四国と本州の間には、なんと3本の橋がかけられたのです。

## 国の借金1114兆円の真実とは？

財務省は、2020年5月はじめに「国債や借入金などを合わせた国の借金が2020年3月末の時点で1114兆円余りとなり、過去最大を更新したこと」を発表しました。

また今回の新型コロナ対策のための補正予算25兆円あまりも財源は、すべて国債の発行で賄われる予定だということです。

この手のニュースの中では決まって、高齢化で医療や介護、年金などの社会保障費が急激に増えたのがその要因と論じられます。

しかし、騙《だま》されてはいけません。

現在、国の借金がここまで膨れ上がったのは、社会保障費のためではないのです。

前項でご紹介したバカ高い600兆円以上の公共事業費がその要因なのです。

それは国の財政データをちゃんと見ていけば、**猿でもわかる話**です。

もう、本当にこの話ほどあきれるものはないのです。

日本の財政というのは、１９９０年代初頭までは非常に安定していたのです。１９８８年には、なんと財政赤字を減らすことに成功しているのです。財政赤字を減らしたということは、収入（歳入）が支出（歳出）を上回ったということです。

これは「プライマリーバランスの均衡」と言われており、先進国では最近はあまり見られないような財政の良好さなのです。

この「プライマリーバランスの均衡」はしばらく続き、１９９０年代の初頭には、財政赤字は１００兆円を切っていたのです。

が、バブル崩壊以降の90年代中盤から財政赤字は急増し、２０００年には３５０兆円を超え、２０１０年には６５０兆円を超え、現在は８５０兆円を超えています。

このデータは政府が発表しているものなので、だれもが確認することができます。

このデータを見れば、財政赤字はバブル崩壊以降に急増しているものであり、１９９１年からの10年間で６００兆円も増えていることがわかります。

この90年代に生じた600兆円の財政赤字が、この20年で利子がついて現在の1114兆円の財政赤字になっているのです。

ところで、赤字国債が急増した1990年代、社会保障関係費というのは、毎年15兆円前後しかなかったのです。当時の税収は50兆円前後だったので、15兆円程度の社会保障費はまったく問題なく賄えていたのです。

だから、90年代に積みあがった600兆円の財政赤字が、「社会保障関係費のため」であるはずは絶対にないのです。

なぜ90年代で、財政赤字が増大したのかというと、当然、この時期に濫発《らんぱつ》した公共事業が最大の原因なのです。

# 第3章

# 厚生労働省という強欲集団

## 厚生労働省という利権集団

厚生労働省というのは、医療、保健分野だけではなく、労働行政や社会保障まで管轄する非常に権力の大きい省庁です。

古今東西、こういう権力の大きな省庁というのは、得てしてその権力をかさに着てやりたい放題やる傾向にあります。では今の日本の厚生労働省はどうかというと、まさに「悪徳官庁」の見本のような官庁なのです。

またこのことが新型コロナ対策における政府の対応のお粗末さにつながっているのです。厚生労働省の悪事に関する事項は、書いている筆者自身が気分が悪くなるほどです。読んでいる方の中にも気分が悪くなる方が大勢いると思われます。

ですが、これが**日本の厚生労働省の現実**なのです。国民として知っておかなければならない情報です。これから述べることは新型コロナ問題とは直接の関係がないものもありますが、厚生労働省がどういう組織なのか、どういう悪辣な組織なのかを知るためには、重要な情報だと思われます。

ところで新型コロナ対策で日本でＰＣＲ検査が増やせなかった要因のひとつとして、「設備の不足」というものがあります。

日本では、ＰＣＲ検査をするための設備が不足しており技師の数も不十分なのです。科学技術大国を自任する日本が、なぜこういうことになっているのでしょうか？

はっきり言えば「厚生労働省」という**「利権集団」**が原因なのです。

彼らが自分たちの利権を守るために、日本でＰＣＲ検査の機器などの導入を遅らせてきました。そして、これほど被害が拡大した現在でも、その悪の手を緩めず、まだこれらの機器の導入はあまり進んでいないのです。

たとえば、わかりやすい例をご紹介しましょう。

日本には、最新鋭のＰＣＲ検査機器を製造している「プレシジョン・システム・サイエンス」（ＰＳＳ社）というメーカーがあります。

ＰＳＳ社は、ＰＣＲ検査について現在手作業で行われている部分の多くを自動化し、しかも早く正確に判断できる「全自動ＰＣＲ検査システム」を開発しています。

この「全自動ＰＣＲ検査システム」を使えば、現在の手作業では、ひとつの検体の判定に6時間かかるところを、たった2時間で8検体または12検体の判定が可能になるそうです。

このPSS社は、フランスのメーカー「エリテック社」に技術供与しており、エリテック社製のPCR機器はフランスの医療現場で採用され大活躍しています。このことでPSS社は、駐日フランス大使から感謝状までもらっているのです。

このように世界的にも認められている「全自動PCR検査システム」を導入すれば、日本のPCR検査は一気に進むはずです。

しかし、なんと日本の厚生労働省は、この機器を医療機器として認可していないのです。しかも新型コロナの被害が拡大し、政府が緊急事態宣言を発した現在でも、認可される兆《きざ》しはないのです。

だから、せっかくの日本のメーカーがつくった世界最新鋭のPCR検査機器を日本の医療現場では使えないという状況になっているのです。今でも日本のPCR検査の現場では手間のかかる手作業で行っているのです。

このような例が、医療界全体でここかしこにあるのです。

それが、**「PCR検査の実施において日本が遅れている」**という状況を作り出しているのです。

## なぜアビガンはなかなか新薬承認されなかったのか？

ＰＣＲ検査だけじゃなく、新型コロナウイルスの治療自体においても、厚生労働省の「妨害工作」はあります。

その最たる例が、アビガンの新薬承認の遅れです。

アビガンというのは、日本の富士フイルムが開発した新型インフルエンザの治療薬です。このアビガンは、世界各国で新型コロナの治療に使用され、有効性が認められているものです。また日本でも、宮藤官九郎さんなどの新型コロナ感染者がアビガンを使用することで劇的に症状が改善したことが明らかになっています。

日本政府は、新型インフルエンザの流行に備え、このアビガンを70万人分備蓄していました。もしアビガンが有効な薬なのであれば、これを使用することで新型コロナ治療が大きく前進するはずです。

にもかかわらず、アビガンは２０２０年5月10日現在、新型コロナの治療薬としての承認は受けていません。治療薬としての承認を受けていないとどうなるかというと、治療薬としては使えないということなのです。

今もアビガンは新型コロナ治療の現場で使われていますが、アビガンの投与は、治療ではなく、「観察研究」「臨床研究」「企業治験《ちけん》」ということになっているのです。つまり、実験段階として使っているに過ぎないということなのです。

このアビガンを医療機関が使用する場合、藤田医科大の研究班や国立国際医療研究センターの研究班による観察研究に参加する必要があるのです。

ざっくり言えば、アビガンは今現在も使えないわけではないが、使える病院はアビガンの観察研究に参加しているところに限られるのです。

アビガンを使用するには面倒な手続きを経なければならず、機動的、即効的に使うことは難しいということです。

またアビガンを使う際には、患者の同意も必要となります。だから意識が朦朧《もうろう》としているような患者、意識が飛んでしまっている患者には使えないわけです。おそらく志村けんさんにはアビガンは使われていないと思われます。

## ３０００人に投与して「効果が不明」とはどういうことだ！

アビガンは現在（5月10日現在）日本で３０００人以上の新型コロナ感染症患者に投与されています。

厚生労働省お抱えの医者や評論家などは、中国などの標本数の少ないデータを持ち出して「アビガンの有効性はまだ証明されていない」「だから簡単に承認できないのだ」などと主張しています。

が、日本ですでに３０００人以上投与されているのだから、有効かそうでないか、どういう副作用があるかなどは、ざっくりでもわかっているはずです。

もし本当に「有効性がわかっていない」のであれば、日本で使用した３０００人のデータをもとに説明すべきでしょう。「３０００人に投与してもいい結果が得られていないからまだ承認できないのだ」と。しかし、厚生労働省側はそのデータをいまだに出してこないのです。データを持ってこずに、**「まだ効果がわからないから」**という弁明を繰り返しているのです。

3000人に投与してまだ効果がわからないなど、この非常時にこの緩慢さはどういうことでしょう？

これでは**意図的にアビガンの承認を遅らせている**と見られても仕方のないことです。

「日本人3000人投与のデータはなぜまだ出てこないのか？」

「この非常時になぜこんな悠長な仕事をしているのか？」

厚生労働省御用達の医者の方々、このことについて弁明をしてほしいものです。

また本当に「効果が認められない」「重篤な副作用のリスクがありまだ新薬承認はできない」のであれば、すでに3000人に使用したということはどういうことなのでしょう？

効果がなくリスクのある危ない薬を3000人への投与を許すというのは、あまりに無責任なことです。

アビガンがなかなか新薬として承認されない一方で、アメリカの製薬メーカーがつくった「レムデシビル」は、非常に短期間で特例承認されました。レムデシビルはもともとはエボラ出血熱のために研究開発された薬で、重篤な新型コロナ感染症患者に有効性が認められています。

「特例承認」というのは、海外で販売（使用）されている薬で緊急性がある場合には、通常の手続きを経ずに新薬として承認する制度のことです。

ここにも、日本の官庁の欠陥が如実に表れているといえます。

日本の官庁は、国内の業界に対しては鬼のように厳しいのですが、アメリカから言われれば簡単に折れてしまうのです。

アビガンもこの特例承認をしようと思えばできるのです。

「レムデシビル」は海外で有効性が確認されているとはいえ、日本での使用数はまだ50件ほどしかありません。アビガンの３０００件の使用例とは比べ物にならないのです。

薬の有効性や副作用のデータなどは、アビガンのほうがはるかに蓄積されているのです。

特例承認するのであれば、どう見てもアビガンが先なのです。

## なぜ日本の新薬承認は遅いのか？

なぜ厚生労働省は、このような嫌がらせのようなことをし、国民全体の被害を大きくしているのでしょうか？

それは**厚生労働省の権力を誇示する**ためです。そして関係業界などをひれ伏せさせ、天下りなどさまざまな利益供与を受けるためなのです。

日本の新薬承認は、諸外国に比べて非常に遅いことがよく指摘されます。

日本の新薬承認が遅い最大の理由は、厚生労働省がその権威を見せつけるためにもったいぶっているからなのです。

許認可というのは、日本の省庁にとってもっとも重要な権限だといえます。

そして新薬の承認というのは、厚生労働省の中でもその権威の源泉です。製薬業界、医療界全体に睨《にら》みを利かせ、天下り先を確保するためのもっとも重要な武器なのです。

現在、新薬の承認は、独立行政法人の「医薬品医療機器総合機構」（通称ＰＭＤＡ）というところが中心になって行っています。

このＰＭＤＡは一応、省庁から独立した「独立行政法人」ということになっていますが、現在の理事は国立病院、厚生労働省からの出向者が中心であり、**完全に厚生労働省の支配下にある**といえます。

そして新薬承認は、一定の基準をクリアすれば許認可が下りるわけではないのです。一応の基準はありますが、承認するかどうかはＰＭＤＡの判断による部分が大きいのです。

だから製薬メーカーや医療機器メーカーは、どれだけ頑張ってもなかなか承認されないという無限地獄に陥るのです。

しかも、新参者のメーカーはなかなか通りにくいのです。アビガンがなかなか新薬承認されないのも、アビガンを製造しているのは「製薬会社」としては新参者の富士フイルムだったことが要因として考えられるのです。

天下りを受け入れたり、政治家のパーティー券を大量購入したり、政官にさまざまな便宜を図る企業は優先され、それをしない企業への許認可はなかなか下りないのです。

アビガンを特例承認しなかったのも、ひとつ前例をつくれば、なしくずしに厚生労働省の権威が低下するおそれがあったからなのです。

## 諸悪の根源はキャリア官僚

しかし、厚生労働省の官僚のすべてが天下りなどの利権を持っているわけではありません。ごく一部の官僚のみがこの利権を享受しているのです。

その一部の官僚というのは、キャリア官僚のことです。

厚生労働省には医師や薬剤師、レントゲン技師など技術系の官僚も多く、彼らも退職後、民間企業に就職することもあります。が、彼らの場合、技術があるから就職できる部分が大きく、そもそも民間企業で勤めていた人が厚生労働省に中途入省したケースが多いので、これは今回の天下りの話からははずします。彼らにも怪しい話はあるにはあるのですが、キャリア官僚の天下りの怪しさに比べれば、物の数ではないのです。

ここで述べる天下りというのは、特に高度な専門技術を持っているわけではないのに、官僚という立場だけを用いて、**民間企業に好待遇を持って迎えられる人**のことです。

そして、それは「キャリア官僚」のみが享受しているものなのです。

厚生労働省がこのような悪辣《あくらつ》な組織になっている最大の要因も、「キャリア官僚制度」なのです。

そして、このキャリア官僚の弊害は厚生労働省だけではなく、日本官僚制度全体を蝕《むしば》み、ひいては日本の社会に大きな厄災をもたらしているのです。

キャリア官僚というと、時々ニュースに取り上げられるのでご存じの方も多いかと思われます。

このキャリア官僚とは、どういう人たちなのでしょうか？

そのことについて簡単に説明したいと思います。


これまで日本で官僚組織に入るには、大まかに言って3種類のルートがありました。

- **高卒程度の学力試験で入るルート**
- **短大卒程度の学力試験で入るルート**
- **大卒程度の学力試験で入るルート**

この中で「大卒ルート」で入るのが、キャリア官僚です。

この試験は非常に狭き門であり、大卒程度の学力試験とはいうものの、競争率が高いので超一流大卒程度の学力を必要とするのです。

だから東大出身者の割合が異常に高いのです。

キャリア官僚というのは、国家公務員全体で1％ちょっとしかいません。

キャリア官僚は、本省勤務、海外留学、地方勤務、他省庁への出向などを経て、ほぼ全員が本省課長クラスまでは横並びで出世します。ノンキャリアは、どんなに頑張っても定年までに課長補佐になれるかどうかというところにもかかわらず、です。

そして、このキャリア官僚たちは、各省庁の事務方トップを務め、総理の秘書官などのポストも占めるので、事実上、日本を動かすということになるのです。20歳そこそこのときに難しい試験に受かったというだけで、将来、日本を動かす地位が約束されるのです。

こんな前時代的なシステムは、先進国はどこも採用していません。日本の官僚システムは相当に遅れたものであり、欠陥だらけなのです。

そのためマスコミなどの批判をたびたび受けてきました。

それを受けて、国家公務員試験の制度は2012年から改正され、これまで国家Ⅰ種とされていたものが「総合職試験」、Ⅱ種、Ⅲ種とされていたものが「一般職試験」という分類になっています。

また「総合職試験」には、大学院卒を対象とした「院卒者試験」なども導入しています。採用試験には、政策企画立案能力、プレゼンテーション能力を検証する「政策課題討議試験」なども導入されています。

人事院は、「キャリアシステムと慣行的に連関している採用試験体系を見直し、能力、実績にもとづく人事管理への転換をはかる」としています。

が、現在のところ、本質的にはそれほど変わっていないといえるのです。

なぜなら「試験に受かっただけで将来の地位が約束される」という根本のシステムには変更がないからです。そして現在の各省庁のトップも相変わらずキャリア官僚たちであり、トップどころか上層部の大半を占めているからです。

## 莫大な富を手にするキャリア官僚

このキャリア官僚には、国民の社会経済において非常に迷惑な欠陥を持っています。

キャリア官僚の「退職システム」と「その後の再就職に関するシステム」は、巨額の税金を浪費しているのです。

その仕組みを説明しましょう。

キャリア官僚というのは、その報酬自体はそれほど高いものではありません。最高のポストである事務次官でも、年収は3000万円程度です。開業医の平均年収と同じくらいです。

つまり、官僚のトップに上りつめた人と、開業医の「平均」が同じくらいなのです。

また一流企業の幹部であれば、年収3000万円程度はざらにいます。

それに比べれば、それほど高いとは言えないでしょう。

が、キャリア官僚の場合は、**やめてからがスゴイ**のです。

彼らは、退職した後、さまざまな企業や団体の顧問になります。

その報酬が桁《けた》外れなのです。この退職後の報酬により、10年足らずで、10億円近く稼ぐ人もいるのです。

キャリア官僚が、生涯でどれくらいのお金を稼いでいるのか、統計調査などは行われておらず、正確な実態は明らかになっていません。

それでも、あるキャリア官僚が、「自分の先輩がどのくらい稼いでいるのか」を調査し、記録した資料があるのです。

週刊朝日の2012年8月3日号に載った次の記事を見てください。

**元国税庁長官が極秘作成　幹部の「天下りリスト」と「生涯賃金10億円」の証拠**

本誌が追及してきた元国税庁長官の記事が波紋を呼んでいる。元長官が極秘で歴代財務事務次官（25人）、国税庁長官（25人）の納税調査資料を作成し、財務省に衝撃を与えているのだ。

この元長官は、財務省主税局、国税庁で一貫して税制改革に携わり、〝税のスペシャリスト〟として、現在も永田町、霞が関、財界に強い影響力を持つ大武健一郎元国税庁長官（66）だ。週刊朝日に告発した妻（61）によると、大武氏は国税庁長官在任中（2004〜05年）、「先輩の資産を辞めるまでに調べ上げてやる」と語っていたという。

その資料には、歴代国税庁長官、財務事務次官の01〜04年の天下り先と、納めた所得税額が記されている。税理士に依頼し、その所得税額から、03、04年に得た給与収入を推計した。

推計年収は内部資料に記された所得税額が、すべて給与収入によるものと仮定し、算出した。不動産、株など、他の収入は考慮していない。たとえば、国税庁長官から公正取引委員会委員長に天下り、現在も在職中の竹島和彦氏は03年の推計年間給与収入が2983万円。また、国税庁長官と大蔵事務次官の経験者で、天下り先が日本たばこ産業会長やイオン社外取締役であった小川是氏は、03年の推計年間収入が5427万円だった。

事務次官、国税庁長官経験者らの退職金は約7千万円で、「わたり」をうまくやれば、生涯で8億~10億円を稼げるとも言われる。大武氏の〝極秘調査〟のおかげで、その実態がリアルに明らかになった。

（2012年7月23日　週刊朝日配信）

この記事を見ると、最高幹部に上りつめて退職したキャリア官僚は、だいたい**生涯で8億円から10億円の収入を得ている**というのです。

普通のサラリーマンの生涯収入の4、5倍です。

しかも、彼らはこの金のほとんどは退職後の10年足らずのうちに稼ぐのです。

ここで言われている「わたり」というのは、天下り先を数年ごとに変えていき、いくつもわたり歩くということです。この「わたり」によって、彼らは短期間で巨額の荒稼ぎをするのです。

もちろん、天下りを受け入れる企業は、それなりの魂胆があるわけです。そういう官民の癒着《ゆちゃく》が、日本の政治経済を大きくゆがめているわけです。

## キャリア官僚たちの迷惑な錬金術

しかもキャリア官僚には、「闇の早期退職制度」という、国民にとっては「無駄で迷惑」としか言えない制度があります。

これは「同期の1人が事務次官にまで上りつめたら、他の同期は皆やめる」という制度です。

別に法律でそう定まっているわけではありませんが、慣習上そうなっているのです。つまりキャリア官僚のうちで、定年まで勤められるのは、同期の1人だけです。あとは皆、言ってみれば捨て駒のようなものなのです。

たった1人の事務次官を出すために、数十年競争させ勝者が決まったら、後はみなお払い箱ということなのです。彼らの官僚生活というのは、**まるで精子のようなもの**なのです。50歳代で役所から放り出される彼らは、必然的に再就職しなければなりません。そのため各省庁は天下りのポストを確保するために、許認可の権利を振りかざして民間企業と癒着したりするのです。

さすがに厚生労働省のキャリア官僚たちも、昨今では国民の目を少し気にするようになっています。露骨に民間への天下りをすれば国民から批判されるために、さまざまなカモフラージュをしているのです。

その一つが、民間企業ではなく、「業界団体」に就職するという手です。

日本の各業界では業界団体というものが存在します。前述した日本医師会もそうですし、製薬会社の場合も、日本製薬工業協会などの業界団体があります。この業界団体に役員や理事として入るのです。

たとえば現在の日本製薬工業協会の理事長は、厚生労働省のキャリア官僚です。こういう業界団体は各地域に支部もあり、そこにもキャリア官僚たちの天下り席が用意されているのです。

## 国民の社会保険料をピンハネする

しかもキャリア官僚の天下りには、さらに**たちの悪いシステム**があります。ただキャリア官僚が高い報酬を得るだけじゃなく、もっと大きな弊害があるのです。

というのはキャリア官僚たちは自分たちだけが露骨に報酬を得ると、国民の批判を浴びてしまうために、一応もっともらしい理屈をつけて、もっともらしい機関をつくるのです。税金や社会保険料を使って関連機関などをつくり、そこの役員におさまるというわけです。この**「自前の天下り」**が、かなりひどい状態になっているのです。

そして、当然ながらその機関には人員が必要であり、キャリア官僚以外の人の人件費まで生じてしまうのです。

つまりキャリア官僚の天下り先をつくるためには、キャリア官僚の報酬だけじゃなく、その数倍の経費が必要となるのです。

もちろんこの経費は、だれが負担しているのか、というと国民なのです。

厚生労働省のキャリア官僚たちは、こともあろうに社会保険料のピンハネをして自分たちの天下り機関をつくっているのです。

社会保険には、年金、健康保険、雇用保険、労災保険などがあります。いずれの社会保険にも必ず厚生労働省の肝いりの団体がつくられ、その団体が保険料の一部をピンハネするのです。そして、その団体には厚生労働省が天下りするのです。

しかも、その**ピンハネの金額が国民の想像を絶するほど、とんでもなく大きい**のです。

## 確定拠出年金から巨額のピンハネをする

その代表例を「個人型確定拠出年金」に見ることができます。

確定拠出年金は、最近、「ｉＤｅＣｏ」という名称をつけられて、国がかなり宣伝をしているので、聞いたことがある人も多いはずです。

確定拠出年金とは、個人が加入して、運用まで行う「私的年金」です。

加入は自由で、掛け金も自分で自由に決められます。もともとは自営業者や「企業年金のないサラリーマン」など、年金が不十分な人を中心に、「自分で掛ける年金制度」として作られたものです。

少子高齢化がどんどん進んでいく中では、公的年金の給付水準を維持していくのは非常に難しく、今後は給付水準が下がっていくことが予想されています。

公的年金というのは、どこまであてにできるかわかりません、そのため各個人が自分で年金を積み立てられるようにしたのが、確定拠出年金の趣旨です。

その趣旨は非常に立派なものです。

が、が、この立派な趣旨とは裏腹に、その内情には**黒い欲望が渦巻いている**のです。

この確定拠出年金には、実は加入者に大きなメリットがあります。

税制優遇措置が非常に大きいのです。

確定拠出年金の掛け金は、すべて課税所得から控除できるのです。たとえば、100万円を掛ければ、その100万円は税金のかかる「所得」から除外されるのです。

通常、普通に貯金をするときというのは、その貯金額には税金が課せられます。自分が自由に使える「手取り金額」とは、自分の収入から所得税や住民税を差し引いた残額です。だから貯金をするということは、すでに所得税、住民税を払った後のお金を貯めることになります。

ところが確定拠出年金の場合、所得税、住民税を払う前の段階で、掛け金を支払うことができます。

もちろん、普通に貯金するよりは、はるかにたくさんのお金を掛け金に回すことができます。だから老後の資金を貯めるのなら、確定拠出年金に加入するのがもっとも効果的だといえるのです。

しかし、しかし、です。

この確定拠出年金には**大きな罠《わな》**があるのです。

実は確定拠出年金は、国に支払う手数料が異常に高いのです。

まず確定拠出年金に入った場合、口座開設手数料として２７７７円払わなければなりません。これは金融機関が受け取るのではなく、「国民年金基金連合会」へ支払う手数料なのです。

しかも国が手数料を取るのは、口座開設時だけではありません。

毎月の掛け金からも手数料を取るのです。

国が毎月取る手数料は１０３円です。

年間にすれば、1人1200円以上となります。何百万人、何千万人が加入すれば、相当大きい金額になるはずです。

国が取る手数料というのは、口座管理のための費用という名目になっています。そして支払先は、これまた「国民年金基金連合会」です。

ところが、この手数料、なぜ取られなければならないのか、まったく意味がわからないものなのです。

確定拠出年金は、窓口となっている金融機関が掛け金の預かり、運用の手続きなどすべてを行ってくれます。

「国民年金基金連合会」が行う業務などは事実上ないのです。

にもかかわらず、開設時に3000円近く取られた上、毎月103円も取られるのです。

これは、暴力団の取る**「みかじめ料」**とほぼ同じ内容のものであり、ピンハネ以外の何モノでもないのです。

## 確定拠出年金の利益の半分はピンハネされる

個人型確定拠出年金によって、節税できる額は、ほとんどの人が1万～2万円です。

つまり確定拠出年金の制度的なメリットは、年間1万～2万円なのです。しかし、そのうち国から手数料として、年間1200円ピンハネされるのです。

窓口の金融機関も、さすがに無料ではできないので年間4000～5000円は手数料を取ります。すると節税できる額の半分くらいは、手数料として持っていかれるわけです。

つまり、確定拠出年金の制度的なメリットは、実質的には**「喧伝されていることの半分くらいしかない」**のです。

しかも、確定拠出年金は給付時にも手数料がしっかりかかってきます。

給付時に取られる手数料は、給付1回につき432円です。

もし、毎回1万円の給付を受ける設定になっていれば、4%が手数料として取られることになります。

確定拠出年金というのはざっくり言えば現役時代に自分でお金を貯めて、リタイアした後、その貯めたお金が給付される仕組みなのですが、その給付時にも国は手数料を取り、ピンハネするのです。

そして、この国が徴収している手数料の受取先である「国民年金基金連合会」が問題なのです。

「国民年金基金連合会」というのは、自営業者向けの公的年金である「国民年金基金」を取り仕切る団体です。が、実質的には厚生労働省などの天下り先になっている機関です。

そもそも自営業者の公的年金を扱うのならば、厚生労働省が直接行えばいいはずです。なのに、なぜこのような団体をつくるかというと、**天下り先を確保するため**なのです。

そして、この「国民年金基金連合会」は、「国民年金基金」だけではなく「確定拠出年金」にも携わるという形を取り、国民の社会保険料から莫大なピンハネをしているのです。

**個人型確定拠出年金の国の手数料**

| | | |
|---|---|---|
| **口座開設時** | | 2777円 |
| **加入期間** | 1か月につき | 103円 |
| **還付時** | 還付1回につき | 432円 |

**給付時**　給付1回につき　432円

## 雇用保険、労災もピンハネされている

厚生労働省にピンハネされている社会保険は、確定拠出年金だけではありません。

たとえば、雇用保険、労災などもそうです。

雇用保険、労災は、独立行政法人「労働政策研究・研修機構」、独立行政法人「労働者健康安全機構」などの運営費も支出しています。

この「労働政策研究・研修機構」「労働者健康安全機構」というのは、表向きは労働保険業務を補完するよう役割を持っています。

が、両機構とも、別に厚生労働省がやればいいいんじゃない？　という業務しか行っていないのです。ざっくり言えば、厚生労働省の業務の一部を、この「労働政策研究・研修機構」「労働者健康安全機構」に振り分けているのです。

そして、この両機構が厚生労働省の官僚の出向先、天下り先になっているのです。

つまりは雇用保険、労災の財源を使って、官僚たちは天下り先を確保しているのです。

そもそも雇用保険や労災とは、労働者の雇用補償や健康補償のためにあるものです。

しかし、日本の雇用保険は非常にお粗末なものです。

先進国に比べれば、**給付額や給付期間がはるかに少なく短い**のです。それが中高年の自殺や、子供たちの貧困につながっているのです。

それも雇用保険の財源が、本来使われるべきところに使われずに、天下り官僚などに費消されているからなのです。

またキャリア官僚によるピンハネは、他にも多々あります。

ここに挙げたのは、ほんの一例なのです。

ほかの公的年金や健康保険にも、官僚の天下り先になっている機関が多々あるのです。

筆者は国税局に勤務しているとき、キャリア官僚と個人的にも非常に親しくしてもらっていました。

ですが、キャリア官僚という制度は、絶対的に間違っているといえます。

確かにキャリア官僚の中には優秀な人もいるので、彼らが社会の指導的立場に立つことは、おかしいことではないでしょう。

しかし入省した時点で、これほどまでに強力な権力が約束されるというのは、やはりおかしいと言わざるを得ないのです。

彼らは優秀な人が多いのだから、最初から権力を与えられるのではなく、一から実績を積み、周囲に認められてから出世していくべきでしょう。そして官庁は、そういう丁寧な人事評価をするべきなのです。

「20代のときに難関試験に受かった」からといって「50代で省庁の幹部になれる」約束を与えるのは絶対におかしいし、そんな大きな特典をもらえば、人間だれしも感覚がおかしくなるはずです。

また人には向き不向きというものがあります。

学問ができるからといって、他のこともすべて優秀だとは限りません。というより、社会に出た人ならだれでもわかると思いますが、学問というものは、社会生活のスキルのほんの一部分に過ぎないのです。

社会では、そのときそのときの判断力や、さまざまな方法をうまく活用する柔軟性など、学問以外のさまざまなスキルが必要となります。

普通の企業では、入社試験の成績がよかったというだけで、将来の大幹部の席が約束されるようなことは絶対にありません。企業がそういう人事を行っていけば、複雑な経済社会に対応できないし、とても成り立っていかないはずです。

どういう社員が優秀なのか、どういう社員がどういう業務に向いているのか、そういう人事考課を丁寧にやっていかなければ、企業は存続できないはずです。

入社試験の成績がよかっただけで、すべて良し、とするような乱暴な人事を行っているような企業はないはずです。

つまり、普通の企業では成り立っていかないような欠陥的な人事制度を、官庁はとっているということです。

それが日本社会全体に大きな災害厄もたらしているのです。

# 第4章

# オリンピック利権に群がる者たち

## 2月以降、日本柔道界の幹部が4人死去の謎

2020年3月下旬、日本政府はオリンピックの延期を決め、IOC（国際オリンピック委員会）もそれを了承しました。

その直後の4月初旬、全日本柔道連盟でクラスターが発生しました。

4月6日に最初の感染者が出た後、最終的には、役職員38名のうちの半数の感染が確認されました。職員の半数が感染するというのは、ものすごい感染率です。

しかも講道館の理事だった松下三郎氏が4月19日に新型コロナウイルスにより死去されています。

が、あまり報じられることはありませんが、柔道界ではこれ以前から非常に奇怪なことが起きていたのです。

実はこの全柔連のクラスターが発生する2か月も前から、柔道界の幹部たちが相次いで急死しているのです。

最初に亡くなったのは全柔連の副会長をしていた吉岡剛氏です。吉岡氏は2月23日に肝硬変のために死去されたのです。が、現役の副会長でしたので、長い間、病床に臥《ふ》せっていたということではないようです。

3月8日には嘉納行光氏が肺炎のため死去しています。嘉納行光氏は柔道の創始者である嘉納治五郎の孫で、全柔連の元会長であり、講道館の名誉館長でした。

そして4月9日には講道館図書資料部長をしていた村田直樹氏が心不全のために死去しています。

全日本柔道連盟というのは、日本の柔道界のてっぺんにある組織です。また講道館というのは柔道の総本家です。全柔連と講道館は表裏一体ともいえ、どちらも日本柔道界の首脳部といえます。

その日本柔道界の首脳部が、今年の2月以降4人も死去しているのです。

当然のことながら、新型コロナとの関連が疑われるところですが、新型コロナへの感染が確認されているのは松下三郎氏のみです。

公式発表では新型コロナとは違う死因になっているので、その点についてはあえて追及しません。

## ここでも不十分なPCR検査

ここで問題なのは、新型コロナとの関連性をはっきりさせていないことです。

この時期、肺炎や急な病状の変化で死亡した人に、必ずPCR検査をするというような仕組みはありませんでした（今も原則として医者や遺族の任意での判断になっています）。だから、おそらくこの亡くなられたお三方もPCR検査はしてないものと思われます。

2月、3月の時点では、まだ新型コロナの被害もそれほど報道されていませんでしたし、国民の多くは**「自分は大丈夫」**と思っていたはずです。

特に柔道関係者はそうだったはずです。

ご存じのように、柔道というのはオリンピックで非常に有力な競技です。しかも現在、JOC（日本オリンピック委員会）の会長は、柔道界の重鎮である山下泰弘氏です。

その柔道の首脳部の人たちは、新型コロナなど関係ないと思っていたでしょうし、その疑いがあったとしてもそれを表に出せない空気があったことでしょう。

全柔連の役職員の感染率の50%以上、というのは感染力の強い新型コロナにおいても異常なことです。

密閉空間に感染者と非感染者が長期間同居させられ**「わざと感染者を増やしている」**と揶揄《やゆ》されたダイヤモンド・プリンセス号でも20%に満たなかったのです。

役職員の半数も感染するには、それなりに時間もかかったはずです。4月初旬だけで一気に広がったものとは考えにくいです。おそらくかなり以前から変な咳《せき》をする人が現れていたはずです。

が、まさか自分たちが新型コロナに感染するとは思っておらず、またうすうす感づいていた人も言い出せない雰囲気があったのではないでしょうか？

そして、1人感染が確認された時点で、やっぱりそうかという空気になり、さすがに自分で思い当たる人は怖くなって手をあげるようになったのではないでしょうか？

スポーツマンにとって、オリンピックは「命を懸けたイベント」であり、ある部分、この姿勢は仕方がないものかもしれません。

が、**「オリンピック利権」**を守るために、あえて新型コロナを軽く扱い国民への警戒感を緩めさせてきた人たちが少なからずいるのです。言ってみれば柔道関係者の方々も、その犠牲になったともいえるのです。

## オリンピックの延期を遅らせた理由

日本政府が、ギリギリの段階まで東京オリンピックを予定通りに開催しようとしていたことはご存じの通りです。

世界中に被害が広がり、その深刻さが知れ渡るようになった3月に入っても、政府や東京都は「オリンピックは予定通り開催する」と言い続けてきました。

日本でＰＣＲ検査があまりされなかったことに関して、「感染者の数を少なく見せかけて、東京オリンピックを開催にこぎつけようとした」という疑いも持たれています。

明確にその意図はなかったとしても、東京オリンピック開催のために、あまり感染者数は増やしたくないという思惑は、政府にも東京都にも少なからずあったはずです。

東京都の試算によると、東京オリンピックの経済効果は、誘致決定の２０１３年からオリンピック10年後の２０３０年ごろにまで及び、その総額は30兆円を超えるという超巨額なものです。

競技施設の建設など直接の経済効果は2兆円程度ですが、都市の再開発、宿泊施設など観光業への投資、選手村に使用するマンションの事後販売など多岐にわたって影響があるのです。

もちろん、中止になれば大変なことになるはずです。

30兆円の経済効果がふっ飛ぶどころか、下手をすれば費用回収ができないことにより、大きな負債を抱え込むことになりかねません。

また安倍首相にとっても、東京オリンピックは自分の政治生命にかかわるものだったはずです。東京オリンピック誘致計画は安倍首相が首相に再就任する前から計画されたものでした。が、安倍首相は首相に再就任して以降、東京オリンピック誘致に全力を傾けました。

安倍首相にとって、莫大な経済効果が見込める東京オリンピックは、**アベノミクスの切り札**とも考えていたはずです。

しかも安倍首相は、日本の「観光立国」を精力的に推し進めてきました。

実際に安倍首相の就任時から、外国人観光客は激増しています。

安倍首相の就任の年の2012年には800万人だった外国人観光客は翌2013年には1000万人を超え、2016年には2400万人、2019年には3190万人に達していました。外国人観光客が落とすお金、いわゆる**インバウンド需要も3兆円**にまで増加していました。

安倍首相は、2016年に「明日の日本を支える観光ビジョン」と題し中長期の観光施策の指針を発表しました。そして2020年までに達成すべき目標として訪日外国人旅行者数4000万人などが掲げられました。この目標達成には、当然のことながら東京オリンピックの開催は不可欠でした。

東京オリンピック延期の発表をするまで、政府は「新型コロナは大したことはない」というようなアピールを繰り返してきました。

中国であれほど新型コロナの猛威が吹き荒れていたというのに、2月いっぱいまで中国人は普通に日本に観光に訪れていたのです。

3月5日になってようやく、中国、韓国、イランからの事実上の入国拒否をしました。しかし、それ以外の国々からはまだ普通に日本に入国できました。

3月14日の時点で、安倍首相はまだ「オリンピックは予定通り行う」と発言しています。しかし世界中から非難されはじめたため、3月の終わりにようやくオリンピックの延期を決めたのです。

そして東京オリンピックの延期が決まってから、ようやく本腰を入れて新型コロナ対策に乗り出したのです。日本政府がアメリカ、ヨーロッパなどからの入国拒否を決定したのは、3月末のことでした。

3月まではアメリカやヨーロッパからの観光客がたくさん日本を訪れていたのです。イタリアではすでに2月の時点で感染爆発が起き、3月にはそれがヨーロッパ全土におよび、数千人単位の死亡者が出ていたにもかかわらずです。

日本が、入国拒否をだらだらと引き延ばしたのも、東京オリンピックやインバウンド需要への配慮があったのです。

総額30兆円のオリンピックの経済効果、毎年3兆円にも達するインバウンド需要と、国民の命を天秤《てんびん》にかけ、オリンピックの方を選んで入国拒否をだらだらと遅れさせたのです。

このことは、現政権と現都知事の大きな失政として、**子々孫々まで語り継ぐ必要がある**と思われます。

## 日本がオリンピック開催にこだわった謎

そもそも、なぜ日本は東京オリンピックやインバウンド需要にこれほどこだわらなくてはならないのか、という大きな疑問があります。

というのも、観光産業で外貨を稼がなくても、日本は世界一外貨を持っているのです。国内の工業などがあまり栄えておらず、観光産業で稼がなくてはならない国というのは世界中にたくさんあります。

が、日本はそういう**「観光産業に頼らなくてはならない国」**ではないのです。にもかかわらず、日本は「観光産業」に過度に依存しようとしています。

それは一体なぜでしょうか？

実はそこに**「日本経済の闇」**があるのです。

「東京オリンピック」も「観光立国計画」も、平成の長い不況を打開するためのものでした。平成時代は、失われた20年とも失われた30年とも言われる長い不況の時代とされています。その閉塞《へいそく》感を打破するために、東京オリンピックを誘致したり、外国人客目当ての観光産業を発展させようとしてきたのです。

しかし、しかし、です。

実は平成の30年の間の日本の景気というのは、決して悪いものではありませんでした。

もうすっかり忘れ去られていますが、２００２年２月から２００８年２月までの73カ月間、日本は史上最長の景気拡大期間（好景気）を記録しています。

この間に、史上最高収益も記録した企業もたくさんあります。トヨタなども、この時期に史上最高収益を出しているのです。

また２０１２年からは、さらにそれを超える景気拡大期間がありました。

つまり、平成時代というのは、**「史上まれに見る好景気の時代」**だったのです。

日本企業の営業利益はバブル崩壊以降も横ばいもしくは増加を続けており、２０００年代に史上最高収益を上げた企業も多々あるのです。

そして日本企業は、企業の貯金ともいえる「内部留保金」を平成の時代に倍増させ、現在は４００兆円を大きく超えているのです。

また日本企業は、保有している手持ち資金（現金預金など）も２００兆円近くあるのです。

これは経済規模から見れば断トツの世界一であり、これほど企業がお金を貯め込んでいる国はほかにないのです。

アメリカの手元資金は日本の１・５倍ありますが、アメリカの経済規模は日本の４倍です。だから経済規模に換算すると、日本の企業はアメリカ企業の２・５倍の手元資金を持っていることになるのです。

つまり世界一の経済大国であるアメリカ企業の２・５倍の預貯金を日本企業は持っているのです。

貿易収支も、バブル崩壊以降もずっと10兆円前後の黒字を続けてきました。赤字になったのは、２０１１年の東日本大震災の後になってからなのです。

また２０１１年以降、貿易赤字が続いているので、日本はヤバいのではないか、と心配している人もいるかもしれません。が、２０１１年以降の赤字額も、これまで積み上げた貿易黒字に比べると、**屁《へ》のような額**なのです。

しかも、赤字になっているのは、「物」の輸出入のみの換算なのです。

近年、日本企業は、自国でモノをつくって輸出するよりも、海外に子会社をつくって現地でモノをつくるという傾向にあります。つまり、物ではなく、資本を輸出するようになったのです。

この「資本」を含めた輸出入（経常収支）では、日本は震災以降もずっと黒字なのです。

「近年、日本経済の国際競争力が落ちた」などと言われることがありますが、決してそんなことはないのです。

毎年、毎年、10兆円もの貿易黒字を何十年も続けてきた国、何十年もの間、経常収支が黒字を続けた国など、世界中にどこにもないのです。

国際競争力から見れば、**日本は世界のトップクラスである**ことは間違いないのです。

日本の外貨準備高は1兆2000億ドルをはるかに超えています。

これは、EU全体の倍以上という巨額です。

国民1人あたりにすれば、100万円以上の外貨準備高を持っている計算になり、断トツの世界一です。これは中国の3倍以上にもなるのです。

実際に日本というのは、現在、実質的に世界一の金持ち国なのです。

日本の個人金融資産残高は現在**約1900兆円**です。1人あたりの金融資産1000万円を大きく超え、アメリカに次いで世界第2位です。

しかも、これは金融資産だけの話であり、これに土地建物などの資産を加えれば、その額は莫大なものです。

また日本は、対外純資産は、約3兆ドルで世界一です。

日本は世界一の債権者の国でもあるのです。

つまり**「日本人は実質的に世界一の金持ち」**といっていいのです。

それなのになぜ国民の多くは、世界一の金持ち国としての実感がないのでしょうか？

## 日本に「失われた30年」をもたらした利権集団とは？

その答えは、実は明白です。

日本のサラリーマンの給料が下がっているからです。

日本経済新聞2019年3月19日の「ニッポンの賃金（上）」によると、1997年を100とした場合、2017年の先進諸国の賃金は次のようになっています。

| | |
|---|---|
| アメリカ | 176 |
| イギリス | 187 |
| フランス | 166 |
| ドイツ | 155 |
| 日本 | 91 |

1997年時点と比べれば、アメリカ、イギリスはほぼ倍増しているのに、日本は減額されているのです。アメリカ、イギリスに比べて日本のサラリーマンの賃金上昇率は倍近い差があるといえます。フランス、ドイツと比べても1・5倍以上の差があるのです。

このように日本の賃金状況は、先進国の中では異常ともいえるような状態なのです。

先進国はどこもリーマンショックを経験していますし、リーマンショックの影響は欧米のほうが大きかったのです。にもかかわらず、欧米はちゃんと賃金が上がっているのです。

なぜこの20年で日本のサラリーマンの賃金だけが下がり続けてきたのかということについて、分析してみたいと思います。

これには、いくつか理由があると思いますが、その最大のものは、「経団連」の存在です。

バブル崩壊後の日本は、「国際競争力のため」という旗印のもとで政官財が一致して、**「雇用を犠牲にして企業の生産性を上げる」**という方向に傾きました。

そしてその中心となっていたのは、経団連という組織なのです。

1995年、経団連は「新時代の〝日本的経営〟」として、「不景気を乗り切るために雇用の流動化」を提唱しました。

「雇用の流動化」

というと聞こえはいいですが、要は「いつでも正社員の首を切れて、賃金も安い非正規社員を増やせるような雇用ルールにして、人件費を抑制させてくれ」ということです。

これに対し政府は、財界の動きを抑えるどころか逆に後押しをしました。賃金の抑制を容認した上に、1999年には、労働者派遣法を改正しました。それまで26業種に限定されていた派遣労働可能業種を、一部の業種を除外して全面解禁したのです。

2009年には、さらに労働者派遣法を改正し、1999年改正では除外となっていた製造業も解禁されました。これで、ほとんどの産業で派遣労働が可能になったのです。

労働者派遣法の改正が非正規雇用を増やしたことは、データにもはっきり出ています。

90年代半ばまでは20%程度だった非正規雇用の割合が98年から急激に上昇し、現在では

35%を超えています。

このように従業員の賃金を抑制し、非正規社員を増やしたことが、「この20年で先進国で日本人の賃金だけが上がっていない」ことになった最大の要因なのです。

## 経団連という強欲集団

日本の雇用状況を悪化させ、賃金を下げ続けた経団連とはどういう組織なのでしょうか？

経団連とは、正式には一般社団法人、日本経済団体連合会といいます。よく経済ニュースなどでその名が出てくるので、ご存じの方も多いはずです。

経団連とは、上場企業の経営者を中心につくられた会合であり、いわば日本の産業界のトップの集まりです。

経団連には、上場企業を中心に約1400社、主要な業界団体100以上が加入しています。日本経済団体連合会の会長は、財界の総理とも呼ばれ、日本経済に大きな影響力を持つのです。

この経団連は、加盟企業が一流企業ばかりで、しかも約1400社もいるということで、それだけでも大きな政治権力を持ち得るのですが、さらにたちの悪いことに、政党への企業献金も非常に多いのです。

経団連は政権政党に対して、通知表ともいえる「政治評価」を発表し、その評価に応じて加盟企業に寄付を呼び掛けるのです。

たとえば、昨今では、経団連は安倍首相の政策を非常に評価しています。

そのため経団連は、加盟企業に自民党への政治献金を呼び掛けています。自民党は経団連の加盟企業から毎年20数億円の政治献金を受けており、収入の大きな柱になっているのです。

いわば、**経団連は自民党のオーナーのような立場**なのです。

当然、自民党は経団連の意向に沿った政策を行うことになります。

実は、経団連は上場企業だからといって自動的に入れるものではありません。

経団連のサイトによると入会資格は、次のようになっています。

**入会資格**（企業会員）

1. 経団連の事業に賛同し、「企業行動憲章」の精神を尊重・実践すること
2. 経済事業を営む法人で、事業内容等が当会会員として相応しく、社会的に有用な商品・サービスを継続的に開発・提供していること
3. 純資産額（単体または連結）が1億円以上あること
4. 3期以上連続して当期純損失を計上していないこと
5. 財務諸表に関する公認会計士等の監査報告書が適正意見であること（または、同等の内容が確保されていること）
6. リスク管理体制・内部統制システムが導入・整備されていること
7. 過去3年間において重大な不祥事の発生がないこと

が、これらの条件をクリアしていれば、そのまま加入できるわけではなく、個別の審査が行われるのです。

つまりは、経団連の会員の同意がなければ加入できないのです。当然のことながら、加入が古い会員の発言力が強くなります。老舗《しにせ》企業の経営者が幅を利かすことになるのです。

それは日本企業の現状にも表れています。日本では、時価総額10位以内に創業30年以内

の新興企業は1社もありません。アメリカでは、グーグル、フェイスブック、アマゾンと3社もあるのにです。これは経団連が日本経済全体を牛耳り、新しい企業が育ちにくくなっていることが要因のひとつなのです。

## 大企業の株式配当、役員報酬は激増

経団連がいかに強欲な人たちの集団であるかというのは、大企業の役員報酬や株式配当金の増加に表れています。

日本の大企業は、この2~30年の間、社員の賃金を下げ続ける一方で、役員報酬や配当金は激増させています。

左が、日本の上場企業の配当金の推移です。

**2005年**　4・6兆円
**2007年**　7・2兆円
**2009年**　5・5兆円

**2012年**　7・0兆円
**2015年**　10・4兆円
**2017年**　12・8兆円

日本の上場企業の配当金は、2009年からのわずか9年間で2倍以上になっているのです。リーマンショック前の最高値だった2007年と比べても2倍近くに増えています。

つまり10年前と比べて、配当は2倍に増えているということです。

これは何を意味するのかというと、株主の**配当収入が2倍になっている**ということです。経団連の役員たちというのは、ほとんどが自社の大口株主を兼ねています。だから、この20～30年で大幅に収入が上がっているのです。

また昨今、高額の報酬をもらう大企業の役員が急増しています。

以前は、日本企業の役員報酬はそれほど高いものではありませんでした。欧米と比べればかなり低かったので、「ジャパン・アズ・ナンバーワン」とされていたバブル期などでは、「日本の経営者は低い報酬で高いパフォーマンスをする」不思議がられていたほどです。

が、バブル崩壊以降は、なぜか日本企業の役員報酬はうなぎ登りに上昇したのです。特

## 1億円以上の役員報酬の多い企業11位

| | 企業名 | 人数<br>(前年人数) | 創業年 |
|---|---|---|---|
| 1位 | 三菱電機 | 22 | 1921年 |
| 2位 | 日立製作所 | 18 | 1920年 |
| 3位 | ファナック | 10 | 1972年 |
| 3位 | 東京エレクトロン | 10 | 1963年 |
| 5位 | ソニー | 9 | 1946年 |
| 5位 | 大和ハウス | 9 | 1947年 |
| 5位 | 三菱UFJフィナンシャル・グループ | 9 | 2006(1880)年 |
| 8位 | 大和証券グループ | 8 | 1902年 |
| 8位 | 三井物産 | 8 | 1947(1876)年 |
| 8位 | LIXIL | 8 | 1949年 |
| 8位 | 日本精工 | 8 | 1916年 |

2018年3月期決算　有価証券報告書より

にここ20年ほどは、高額の役員報酬をもらう人が激増しているのです。

国税庁が公表している源泉徴収事績によると、年収5000万円以上のサラリーマンは、1990年代には6000人台に過ぎなかったのが、現在は2万人を超えています。

そして、この高額の役員報酬をもらっているのは、上場企業など昔ながらの大企業が多いのです。

有価証券報告書によると、2018年3月期決算の上場企業で、報酬1億円以上をもらった役員の人数は538人でした(240社)。前年より人数は72人、会社数は17社上回り、史上最高を更新しています。

そして企業ごとの人数では、1位が三菱電機で22人でした。三菱電機は前年と同数で、4年連続で20人台です。2位以下は表のとおりです。

上位8位までの企業11社で、全体の20％を占めています。この11社の創業年を見ると、軒並み半世紀以上です。50年以内に設立されたのは、ファナックだけです。しかもファナックも創業48年で、ほぼ半世紀です。創業100年以上の企業が3社、創業90年以上となると5社に上るのです。

これを見ると、**「古くからの大企業の役員がいい目を見ている」**という図が浮かんできます。

つまりは、経団連の加入企業の役員たちが美味しい思いをしているのです。

## 消費税を無理やり導入させた経団連

大企業の役員報酬や配当を激増させる一方で、経団連はサラリーマンの給料は下げ続け、さらに消費税まで増税させているのです。

消費税の創設と増税には、実は経団連を中心とした財界が大きく関わっています。

そんなことを言われても、ほとんどの人はにわかには信じられないでしょう。

消費税というのは、少子高齢化社会の社会保障費の財源として創設されたものと多くの人は信じているはずです。

しかし、決してそうではないのです。

消費税は、社会保障費などにはほとんど使われていません。

そして、消費税と財界の関係は切っても切れないものがあるのです。

消費税の導入は、財界の強い要望で実現したものです。


財界は、消費税導入とともに、法人税と高額所得者の大減税も働きかけ、これを実現させているのです。

消費税が導入されたのは1989年のことです。

その直後に法人税と所得税が下げられました。

また消費税が3％から5％に引き上げられたのは、1997年のことです。その直後にも法人税と所得税はあいついで下げられました。

そして法人税の減税の対象となったのは大企業であり、また所得税の減税の対象となったのは高額所得者です。

消費税による増収は約10兆円でしたが、この10兆円は法人税と所得税の減税分ですべて吹っ飛んでしまったのです。

つまり、消費税は、少子高齢化の社会保障のためという建前で創設されましたが、それには一切使われず、大企業と高額所得者に差し出されたわけです。消費税は福祉のためではなく、大企業と高額所得者への利権として創設されたのです。

日本の消費税は世界的に見ても欠陥だらけの税金であり、貧富の格差を確実に広げるものです。

まず思い起こしていただきたいことがあります。格差社会といわれるようになったのは、消費税導入以降のことです。消費税導入以前、日本は「一億総中流社会」と言われ、格差が非常に少ない社会だったはずです。

税の専門家の間では消費税を導入すれば、貧困層がダメージを受けるということは、当初から言われていたことです。税金の常識である「金持ちの負担を多く、貧乏人の負担を少なく」ということにまったく逆行しているのです。

消費税には、低所得者ほど負担率が重くなる「逆進性」があります。

たとえば年収200万円の人は、年収のほとんどを消費に使うので、年収に対する消費税の負担割合は、限りなく10％に近くなります。

一方、年収1億円の人はそのすべてを消費に回すことはありません。2割を消費に回すだけで十分に豊かな生活ができます。2000万円の消費に対する消費税は200万円です。そうすると年収1億円に対する消費税の負担割合は、2％に過ぎません。

つまり年収200万円の人からは年収の10％を徴収し、年収1億円の人からは年収の2％しか徴収しないのが、消費税なのです。本来はもっと複雑な計算になりますが、わかりやすく言うとこうなります。

このように消費税というのは、**低所得者ほど打撃が大きい**のです。

これを普通の税金に置き換えれば、どれだけ不公平なものかがわかるはずです。

もし貧乏人は所得に対して10％、金持ちには2％しか税金が課せられないとなれば、国民は大反発するはずです。しかし実質的には、それとまったく同じことをしているのが、消費税なのです。

財界が、消費税を推奨してきた最大の理由はここにあるのです。

## 賃下げが国内消費低迷を招いた

経団連のこの「わが身だけよければいい」という方針は、しかし、やがて経団連自身の首も絞めるようになってきました。

経団連が中心になって行われてきた賃下げや消費税の増税は、日本経済に深刻な影響を及ぼすようになったからです。

賃下げが行われれば、国民の消費が減ります。

総務省の「家計調査」によると、2002年には1世帯あたりの家計消費は320万円を越えていましたが、2019年は290万円ちょっとしかありません。先進国で家計消費が減っている国というのは、日本くらいしかないのです。

その結果、企業収益はいいのに、国内消費（国内需要）は減り続けることになります。

これでは**景気が低迷するのは当たり前**です。

国民の消費が減れば、企業の国内での収益は当然下がるのです。

国内の消費が10％減っているということは、国内のマーケットが10％縮小するのと同じことです。企業にとっては大打撃です。

しかも、これに消費税の増税まで加わるのです。

日本の消費は低迷しっぱなしなのです。

国内消費（国内需要）が減り続けているということは、企業は収益を維持するためには必然的に海外から稼がなくてはならなくなります。

しかし日本はこれまでずっと輸出大国でしたし、すでに巨額の貿易黒字を積み上げています。中国などの競争相手も増えてきており、これ以上輸出を増やすのは至難の技です。またもしこれ以上、輸出を増やすことになれば、アメリカなど世界中から非難を浴びるはずです。

そのため日本経済では、インバウンド需要が大きな意味を持つようになったのです。国内消費は低迷し、輸出を増やすことも難しいので、海外からの旅行客にお金を落としてもらおうということです。

莫大な外貨を保有し世界でもっとも金を持っている日本が、インバウンド需要に依存しなければならなくなったのは、このためなのです。

そしてインバウンド需要への依存が、新型コロナがパンデミックを起こしているのに、外国からの入国拒否をいつまでもできなかったり、東京オリンピック開催にずるずると固執することにつながっているのです。

## 東京オリンピック利権にぶら下がる経団連

経団連は、東京オリンピックを強力に推し進めてきた団体でもあります。

もちろん、経団連の加入企業は、オリンピックで大きな恩恵を受ける予定になっていました。

現在、経団連の副会長を出している大成建設は、新国立競技場の施工を担当するなど、オリンピック関連の莫大な建設を請け負っています。大成建設に限らず経団連の主要メンバーである大手ゼネコンたちは、オリンピック景気にどこも大きな恩恵を受けています。

また大成建設と同じく経団連の副会長を出しているトヨタ、経団連の主要メンバーであるパナソニックは、TOPと呼ばれるオリンピックのスペシャルパートナーとなっています。TOPというのは、The Olympic Partonerのことであり、世界で14社しかいません。

ＴＯＰの企業は、オリンピック関連の映像などをＣＭに使用できるほか、オリンピックで使用されるさまざまな機材や車両などを独占的に提供できることになっています。

もちろん、そこには巨額のお金が動いているわけです。

このＴＯＰというのは、オリンピックのスポンサーの中でも最高のランクであり、1事業につき1社しかなれないことになっています。

だから、世界の自動車メーカーでＴＯＰになっているのはトヨタだけであり、世界の家電メーカーでＴＯＰになっているのはパナソニックだけなのです。

逆に言えば他の世界の家電メーカーや自動車メーカーは、そこまでオリンピックに固執していないということです。

日本の大企業たちは世界中で外貨を稼ぎ、莫大な収益を上げておきながら、日本国内での賃金をケチったために、東京オリンピックや観光業に頼らざるを得なかったわけです。

## 雇用さえ守れば日本経済は普通にやっていける

日本経済が今、しなければならないことは、明白なのです。

それは東京オリンピックの開催でも、観光立国の推進でもありません。

**サラリーマンの賃上げ**です。

この20年間、欧米並みに賃金が上げられていれば、少なくとも今より50％は給料が高かったはずです。今より給料が50％上がれば、ほとんどのサラリーマンはかなり豊かな、金持ちの気分を味わえるはずです。景気も間違いなく良くなるでしょう。

しかもそれは決して無理なことではないのです。

日本の企業は、そういう資金的な体力は十二分に持っているのです。

先ほども述べましたように企業は内部留保金（貯金）を天文学的に増やし続け、500兆円に近くなっています。

それは、この新型コロナの数か月の不景気くらいは平気で持ちこたえることができるし、賃金のさらなる上積みも十分可能なのです。

政府には、他の余計な経済対策など一切しなくていいから、この点のみを集中してやってほしいものです。

経団連など大企業の常とう手段として、

「なにか事が起こったときのドサクサに紛れて賃下げをする」

「ドサクサに紛れて雇用を切り捨てる」

というのがあります。

これについて国民は、厳重な監視をしなくてはなりません。

その企業が本当に苦しいかどうかは、内部留保金などを見ればすぐにわかります。バブル崩壊期やリーマンショック期には、あり余るほど内部留保金を持っていた大企業が大掛かりなリストラをしたケースが多々ありました。

それを許せば、「失われた30年」のトンネルからいつまでも抜け出せないのです。

大企業が貯めに貯めた内部留保金というのは、今のような大災害のときに使うべきものなのです。

大企業が内部留保金を吐き出し、雇用をしっかり守れば、**日本経済は10年、20年で傾く**

**ようなことはない**のです。それだけの地力は蓄えているのです。

## 高度成長期の再来を目指す愚者たち

日本の経済施策者や、経済評論家の中には、〝高度成長の再来〟を夢見ている人が数多くいます。

「日本はやればできるんだ！」

「高度成長期のような右肩上がりの経済成長をすれば、すべてが解決する」

このようなことを論じる人が、相変わらず多いのです。

そして、そういう考え方が東京オリンピック誘致や観光立国志向を生んだのであり、それが新型コロナ対策の遅れにつながったのです。

そもそも、「高度成長期の再来を目指す」というのは、まったくナンセンスなことです。

先ほどから述べていますように、「日本はやればできる」のではなく、**「日本はもう十二分にやっている」**のです。国民全体がその報酬を受け取っていないから、平成時代は苦しい時代に見えたのです。

また今後、日本経済が、高度経済成長のような右肩上がりの経済成長をすることは、絶対にありえないのです。

それは、今と昔の経済状況をちょっと分析すれば、すぐにわかるはずです。

現在の日本経済と高度経済成長期では、経済状況がまったく違います。

高度経済成長以前、日本経済の規模はそれほど大きくなく、その分だけ伸びシロがあったのです。

第二次大戦後、日本は何もない状態でした。そこからスタートしたのだから、経済が復興するだけで、それは即「急成長」ということになります。

敗戦で焼け野原になった日本では、工業化を推し進める上では巨額の設備投資が必要でした。日本人は所得の多くを貯蓄に回すので、その貯蓄が銀行の貸出資金となり、設備投資に回されることになったのです。

また当時は、欧米の工業国の人件費が高かったので、安い人件費を背景にした割安な日本製品は国際競争力の面で非常に有利でした。

さらに日本ではまだ国民生活が充実しておらず、国民は欲しいものがたくさんありまし

## 「高度成長期」と「現在」の経済状況の違い

| 高度成長期 | 現在 |
|---|---|
| ・日本の経済規模は小さく、まだまだ伸びシロがあった<br>・日本は他の工業国に比べて人件費が安かった<br>・日本人の生活は充実しておらず、車、電化製品などに旺盛な購買意欲があった<br>・産業設備はまったく不十分で、これから大幅な設備投資による需要増が見込まれた | ・日本の経済規模は十分に大きく、伸びシロはもうそれほど期待できない<br>・アジア諸国では日本より格段に安い人件費で工業製品が作られるようになった<br>・日本人の生活は充実し、車、電化製品などにそれほど購買意欲がない。<br>・産業設備は一通り完成し、これからそれほど大きな設備投資は見込めない |

た。冷蔵庫、洗濯機、白黒テレビが「三種の神器」と呼ばれたり、マイカーを購入することが目標でもあったのです。

当然、国民には旺盛《おうせい》な購買意欲があり、消費もまた右肩上がりです。消費が増えると、それがまた景気を上昇させたのです。

高度成長期というのは、日本が何をやっても伸びる時期であり、国としての成長期でもあったわけです。

しかし、現在は全然違います。

経済の規模は十分に大きくなっており、これ以上の拡大はもうそれほど望めません。企業の設備投資も一通り終わっており、もうそれほど大規模な投資は見込めないはずです。

人件費も、アジアの新興工業国に比べて著しく高くなっており、それは輸出の面で非常に不利になっています。また国民の大半が、「さしあたって欲しいものはない」というほど生活用品が充実しており、消費の伸びもそれほど期待できません。

そんな中で、日本経済が急成長する要因がどこにあるというのでしょう？

今の日本に右肩上がりの経済成長を求めるということは、**40歳を過ぎた人の身長を伸ばそうとするようなもの**なのです。

そんな不可能なことをあてにして経済設計をするから、日本はいつまでたっても閉塞感から抜け出せなかったのです。

今の日本に必要なのは、「経済のキャパをもっと広げること」ではなく**「今の経済のキャパで、国民に安心した生活をもたらすこと」**なのです。

日本の経済のキャパは、もう十分に大きいのです。1億2600万人の国民が、安心して暮らせるくらいの富は十二分に持っているのです。

## 〝高度成長〟は持続可能な経済スキームではない

前項で述べましたように〝高度成長の再来〟を期待している財界人や政治家、官僚、経済評論家たちは今も大勢います。

というより、この思考は今も日本の経済政策の主流だとさえいえます。「東京オリンピック」の誘致もその延長線上にあります。

彼らのもっとも愚かな点は、「高度成長は持続可能な経済スキームではない」ということに気づいていない点です。

もし奇跡的に高度成長期のような経済回復期が来たとしても、それは絶対に長続きしないのです。また、もし日本が今以上に貿易で勝ち続けると、他国は日本にそっぽを向いてしまうでしょう。特にアメリカは今以上に日本を目の敵にし、日本は世界経済の中で孤立してしまうはずです。

繰り返して言いますが、〝高度成長〟というのは、「持続可能な経済システム」では絶対にないのです。

今の日本に必要なのは、高度成長期を夢見るのではなく、今の経済成長でも国民が不安を感じないシステムを構築すべきなのです。

日本の政治家や、経済施策者たちは、なぜそのことに気づかないのでしょうか？

日本はもう十分に金は稼いでいるのです。

それをうまく社会に循環させ、人々の生活が不安にならないようなシステムを作り上げることが、最重要課題なのです。

# 第5章

# 利権でがんじがらめの国

## 「お肉券」という暴挙

安倍首相は3月になって、新型コロナで経済的打撃を受けた人たちのために、大規模な経済対策を行うことを発表しました。

その3月下旬に自民党からトンデモない経済対策案が提案されました。「国民に現金の代わりにお肉券を配布する」というのです。

政府では新型コロナによって経済的ダメージを受けた国民に「現金を支給する」など何らかの支援をすることが検討されていました。その検討の最中に、この爆弾提案がなされたのです。

このお肉券の提案は、自民党の農林部会から出されたものです。

自民党農林部会の弁によると、「インバウンド需要の低下により、高級和牛などの需要が落ち込んでいる。そういう農家を救済するために、国民に現金の代わりにお肉券を配布すべし」ということでした。

この提案には国民は唖然とし、ネットでは批判が吹き荒れました。

そして、あまりの批判の激しさに、自民党はこの提案を取り下げました。

批判されるのは当たり前の話です。

新型コロナで打撃を受けているのは農家だけではありません。ほとんどの国民がなんらかのダメージを受けていますし、倒産や失業者も出始めており、農家よりもはるかに大きなダメージを受けている人はたくさんいたのです。

少し考えれば、こういう批判が出ることは当然、予測できたはずです。

なのに、**なぜ自民党はこんなバカな提案**をしたのでしょうか？


実はこの「お肉券」という発想は、新型コロナという大災害において突如現れたものではありません。

これまで脈々と流れていた**「特定業種の優遇」**という政治姿勢が、この国難で浮き彫りになっただけなのです。この「お肉券」は氷山の一角に過ぎないのです。

農家というのは、これまで非常に優遇されてきた業種です。

「日本の農業を守るために農家は優遇されてきた」

と思う方もいるかもしれませんが、決してそうではありません。

なぜ農家が優遇されてきたかというと、農村は、人口に比べて国会議員の議席数が多く配分されているからです。しかも農家は、集団行動をとることが多いので、農家の団体を味方に付ければ大きな票田《ひょうでん》になるのです。

つまり政権政党から見れば、都市部のサラリーマンに何かをしてやるより、農村を優遇した方が票に結び付きやすいのです。

そして長年、農家を優遇してきたことは、日本の経済社会を大きくゆがめてきたのです。今回の新型コロナ騒動でも、「お肉券事件」だけではなく、農家の長年の優遇策は日本経済に大きな悪影響を与えています。

## 日本の補償が少ないのは農家優遇のせい？

今回の新型コロナ禍において、日本政府のケチぶりが社会の批判を浴びました。

欧米諸国は営業自粛の商店や、収入が激減した人に対して手厚い補償をしました。

その一方、日本の政府は国として営業自粛業者に対する補償はせず、国民に対しても一律に10万円を給付するだけという非常に貧弱なものでした。

この政府のドケチさの要因のひとつが、**日本の社会保障の欠陥**があります。

あまり語られることはありませんが、日本の社会保障には欠陥が多々あります。日本人は、「日本の社会保障制度は世界最先端」と思っていますが、決してそうではありません。日本の社会保障制度は欠陥だらけであり、大事なときに役に立たないものばかりなのです。

はっきり言って、「先進国の社会保障制度」とは言い難いものなのです。

人生の一大事が起き、社会保障を受けなくてはならない状況に陥った人が多数派ではないので、日本の社会保障の欠陥があまり知れ渡っていないだけなのです。

そして、この「社会保障の欠陥」は、特定業種の優遇政策と深い関係があるのです。特に農業の優遇策は、日本の社会保障に大きな穴を開けているのです。

欧米諸国が、新型コロナ禍対策において手厚い補償ができた要因のひとつとして、社会保障の充実があります。

欧米諸国では、事業者が休業を余儀なくされたり、労働者の収入が激減したときの社会保障が充実しているので、新型コロナ禍で新たに補償をつくる以前に、ある程度の補償がなされているのです。

たとえばドイツでは、そもそも企業の経営が悪化し操業時間を短縮した場合、従業員の賃金低下分の60%を補償するという制度があります。他の欧米諸国も収入補償が充実しています。

その補償は、主に**雇用保険**（失業保険とも呼ばれます）で賄《まかな》われます。

雇用保険というのは、解雇や倒産など、もしものときに自分を救ってもらうための保険です。この雇用保険が充実したものであれば、少々景気が悪くても、人々は生活にそれほど影響を受けないで済みます。

欧米では、この雇用保険が非常に充実しているのです。

しかし日本の雇用保険は、本当に困ったときには役に立たないのです。

たとえば20年勤務した40代のサラリーマンが会社の倒産などで失職した場合、雇用保険がもらえる期間というのは、**わずか1年足らず**なのです。

今の不況で、40代の人の職がそう簡単に見つかるものではありません。なのに、たった1年の保障しか受けられないのです。

また今回のように事業者が休業したり、給料が激減したり、一時帰休となったような場合には、雇用保険がもらえるようなことはありません。だから日本政府は新型コロナで経済的打撃を受けた人を補償しようとすれば、そのほとんどを国家予算から新たに支出しなければならないのです。

そのため新型コロナでは多くの人が収入減となっているのに、まともな補償が得られないのです。

日本の雇用保険は、厚生労働省の天下り機関に横流しされ、虫食い状態になっていることは前述しました。が、雇用保険はさらに**「農家の利権」**にもなっているのです。

実は雇用保険には非常に不可解な制度があります。

それは**「半年働けば3か月分の給料がもらえる」という謎の制度**です。

これは、実は農業や漁業を配慮したものなのです。

農家などでは、農閑期だけ雇われ仕事をするという人がけっこういます。そういう人たちの中には、毎年、「半年働いて3か月雇用手当をもらう」という、夢のような生活を続けている人も多いのです。

毎年、同じ職場で半年だけ働いて、雇用保険を毎年もらう人もいるのです。これは、もはや雇用保険とは言えませんよね？

**普通に補助金**です。

しかもこの補助金は全国の**サラリーマンたちの雇用保険が財源**なのです。

このような謎の制度があるので、雇用保険というのは、肝心のサラリーマンのピンチのときにはまったく役に立たない制度となっているのです。

日本の農業が危機的状況になっていることは、筆者も重々承知しています。もし、このまま日本の農業が衰退し、食料自給率が下がればいざというときに日本が大変な事態になることが予測されます。

だから、日本の農業をある程度は守っていかなくてはならないことは筆者も異存はないところです。

が、これまでの農業政策というのは、目先の補助金や優遇策をちらつかせて、とにかく政権の票に結び付けるという、非常に安易で非建設的なものでした。その結果、農業はこれだけ優遇されているにもかかわらず、農業人口はどんどん減り続けています。

その一方で、日本の農業でも頑張っている分野は多々あります。

米や果物などの中には、高級食材として世界中で販売されているものもあります。そういう元気な農家というのは、国の補助金や優遇政策にどっぷりつかった人たちではありません。そういうものをあまりあてにせず、自分たちで「効率的にいい物をつくる」という研究開発を続けてきた人たちです。そして、そういう人たちには、政治は逆にあまり手助けをしてこなかったのです。

あからさまに農業を優遇し、当座の票だけを獲得しようとしてきた政治家たちの罪は重いのです。

## 「日本は消費税が安いから補償が少ない」という詭弁

「日本は欧米に比べて休業補償などが少ない」

という批判に対して、

「日本は消費税が安いから補償が少ない」

と主張する評論家などもいます。

元衆院議員でタレントの杉村太蔵氏は、TBS系のテレビ番組「サンデー・ジャポン」において「欧州なんかでは手厚い補償があるという報道がありますけど、ドイツは消費税が19％でイギリスも20％なんです。日頃、国民が負担してるんです」とした上で、「日本はまだ消費税10％。低負担・高福祉を求める。これは、これからなかなか通用しないんではないかというのが私の考え」と主張しました。

が、これは**経済をまったく知らない人の詭弁**です。

政府が国民にどれだけの行政サービスを行うか、どれだけの社会保障を行うかは、政府の歳出規模がどのくらいあるかが関係してくるはずです。

つまり、政府が年間どのくらいお金を使っているか（歳出）。そのお金の規模が大きければ、行政サービスや社会保障もそれなりに充実していなければならないはずです。税収の種類や特定の税金の税率は関係ないはずです。税収や税率がどうであれ、政府がそれだけのお金を使っていれば、その使っているお金に応じて、国民は行政サービスや社会保障を享受する権利があるはずです。

日本の歳出は100兆円規模であり、国民1人あたりにしても決して欧米にひけをとるものではありません。というより、日本よりも大規模な歳出をしている国は、アメリカくらいなのです。

たとえば、ドイツの歳出は40兆円ちょっとです。

地方自治体の支出との関連などがあるので、単純な比較は難しいのですが、国民1人あたりの歳出額は日本のほうが大きいのです。

それでもドイツは新型コロナ禍において日本よりもはるかに手厚い補償を行っています。

またアメリカは日本の約5倍の歳出があり、国民1人あたりの額でも日本の約1・5倍の歳出があります。が、アメリカは世界一の軍事国家であり、軍事費に多額の予算を割いていることを考えれば、日本よりも潤沢な国家予算があるとは言い難いはずです。にもかかわらず新型コロナにおいて、日本よりもはるかに手厚い補償をしているわけです。

しかも、しかもアメリカの場合は、日本やヨーロッパのような大型の消費税（間接税）はありません。州によって若干、間接税が創設されていますが、日本の消費税のような包括的なものではまったくないのです。アメリカの税収の大半は、直接税によるものなのです。

だから、「消費税が低いから日本は補償が少ない」という杉村氏の主張は、まったく的をはずしたものだといえるのです。

## ヨーロッパ諸国の間接税と日本の消費税はまったく違う

杉村氏をはじめ政治経済評論家や学者の中にはよく「ヨーロッパの先進国に比べれば日本の消費税はまだ全然安い」と言う人がいます。

しかしヨーロッパの先進国の消費税と、日本の消費税というのは、その中身がまったく違います。同じように間接税ではありますが、両者はまるで違うものなのです。

消費税の最大の欠点というのは、前述しましたように「低所得者ほど負担が大きくなる」ということです。

ヨーロッパの先進国は、間接税の税率は高いですが、低所得者に対する配慮が行き届いています。ヨーロッパでは、低所得者に対してさまざまな補助制度があります。

イギリスでは生活保護を含めた低所得者の支援額はGDPの4%程度です。フランス、ドイツも2%程度あります。が、日本では0・4%程度なのです。

当然、低所得者の生活状況はまったく違ってきます。

また日本では、低所得者の所得援助というと「生活保護」くらいしかありません。しかも、その生活保護のハードルが高く、本当に生活に困っている人でもなかなか受けられるものではありません。

日本では、生活保護基準以下で暮らしている人たちのうちで、実際に生活保護を受けている人がどのくらいいるかという「生活保護捕捉率」は、だいたい20％程度とされています。生活保護というと不正受給ばかりが取り沙汰されますが、本当は**「生活保護の不受給」**のほうがはるかに大きな問題なのです。

しかしイギリス、フランス、ドイツなどの先進国では、要保護世帯の70〜80％が、なんらかの所得支援を受けているとされています。

欧米の先進国では、片親の家庭が現金給付、食費補助、住宅給付、健康保険給付、給食給付などを受けられる制度が普通にあります。

また失業者のいる家庭には、失業扶助制度というものがあり、失業保険が切れた人や、失業保険に加入していなかった人の生活費が補助されるのです。

この制度は、イギリス、フランス、ドイツ、スペイン、スウェーデンなどが採用しています。

たとえばドイツでは、失業手当と生活保護が連動しており、失業手当をもらえる期間は最長18か月だけれど、もしそれでも職が見つからなければ、社会扶助（生活保護のようなもの）が受けられるようになっているのです。

また15歳未満の子供を持つ家庭には別途の手当が支給されるし、公共職業安定所では、扶養家族がいるものを優先するなどの配慮がされています。

他の先進諸国でも、失業手当の支給が切れてもなお職が得られない者は、失業手当とは切り離した政府からの給付が受けられるような制度を持っています。

また貧困老人に対するケアも充実しています。

たとえばドイツでは年金額が低い（もしくはもらえない）老人に対しては、社会扶助という形でケアされることになっています。

フランスでも、年金がもらえないような高齢者には、平均賃金の3割の所得を保障する制度があり、イギリスにも同様の制度があります。

さらに住宅支援も充実しています。

フランスでは全世帯の23％が国から住宅の補助を受けています。

その額は、1兆8000億円です。

またイギリスでも全世帯の18％が住宅補助を受けています。

その額、2兆6000億円です。

日本では、住宅支援は公営住宅くらいしかなく、その数も全世帯の4%に過ぎません。支出される国の費用は、わずか2000億〜3000億円程度です。先進諸国の1〜2割に過ぎないのです。

またヨーロッパ諸国では、軽減税率も細やかな配慮があります。

日本でも、今回2019年10月の増税からは、軽減税率が適用されています。軽減税率と言っても8%に据え置かれるだけですから、たった2%の軽減しかないのです。

イギリス、フランスなどでは、軽減税率が細かく設定され、食料品や生活必需品は極端に税率が低いなどの配慮がされています。

イギリス、フランスの付加価値税の軽減税率は次の通りです。

**イギリスの付加価値税の税率**

**標準税率20%**

**軽減税率5%**　家庭用燃料・電力の供給、高齢者・低所得者を対象とした暖房設備・

**軽減税率0％**　防犯用品等、チャイルドシート、避妊用品など
食料品（贅沢品以外）、上下水道、出版物（書籍・新聞・雑誌）、運賃、処方に基づく医薬品、医療用品、子ども用の衣料・靴、女性用衛生用品など

**フランスの付加価値税の税率**

**標準税率20％**

**軽減税率10％**　惣菜、レストランの食事、宿泊費、旅費、博物館などの入場料

**軽減税率5・5％**　水、非アルコール飲料、食品（菓子、チョコレート、マーガリン、キャビアを除く）、書籍、演劇やコンサート料金、映画館入場料

**軽減税率2・1％**　演劇やコンサートの初演（140回目まで）、処方のある医薬品、雑誌や新聞

**非課税**　医療、学校教育、印紙や郵便切手

このように、ヨーロッパ諸国は低所得者に手厚い配慮をした上での「高い消費税」なの

です。

「日本は消費税が安い」というのは内情をまったく考慮せず、ただただ表面上の税率を言っているに過ぎないのです。

## なぜ日本は家賃支払い猶予ができないのか？

新型コロナで打撃を受けている人々にとって、もっとも大きな負担となっているのは家賃だと思われます。

事業をしている人は、事業を自粛していても固定費がかかります。そして固定費の中でも負担が大きいのは家賃です。

また新型コロナで収入が下がった人にとっても、家賃は大きな負担です。このままでは家賃が払えなくなり、住む場所を追われるという人もかなりいるでしょう。

家賃の支払いを免除してくれたり、猶予してくれればかなり助かる人がいるはずです。

事業者に営業の自粛を要請するのであれば、家主にも不動産営業の自粛を要請しないと不公平というものです。事業者が営業をやめている間は、家主にも「家賃を得るという営業」を自粛してもらうのは自然なことでもあります。

それは世界共通の考え方であり、世界各国では家賃の猶予の制度をつくりはじめています。

ドイツでは3月に家賃滞納による賃貸契約の解約を禁止し、さらに今年の4月から6月分の家賃は2年間支払いを猶予することにしました。

アメリカでは、3月27日に成立した経済対策法の中で、家賃対策が織り込まれています。この法律の中では、家主は店子が家賃を滞納しても120日間は延滞料を徴収できないと規定されています。また、この期間が終了した後も、家主は30日内の立ち退き要求ができないようになっています。

イギリスでは3月25日に成立したコロナ関連法で、6月30日までは「家賃未払いを理由とした退去要請」を禁止しました。オーストリア、シンガポールなどの各国も家賃支払い猶予に関するルールをつくっています。

しかし、日本では家主に対して、家賃の払えない人の支払い猶予を家主に「要請」しただけであり、なんら強制力のある法整備などは行いませんでした。

このことについて、日本では「ローンを組んで不動産を購入している人もおり、家賃の猶予を強制すれば立ち行かなくなる家主もいる」という言い訳をしています。そういう報道も相次ぎました。

しかし「ローンを組んで不動産を購入している家主」は、別に日本だけにいるわけではありません。世界各国にもそういう家主はいます。そういう苦しい家主に対しては、手当てをすればいいだけの話です。

実際、アメリカなどは家主が不動産におけるローンを払えなくても、3月18日から60日間は金融機関から差し押さえられないとするルールを定めました。そして金融機関に対し、返済を最大で1年先延ばしできるようにしたのです。

不動産の所有者というのは、比較的経済的な余裕のある企業や人が多いので、彼らにある程度我慢してもらうというのが、新型コロナ禍の打撃を軽減するための**もっとも早い近道**であり、**もっとも合理的な手段**なはずです。

にもかかわらず、なぜ日本はそれができないのでしょうか？

ここにも、日本特有の利権が大きく絡んでいるのです。

## 地主は上級国民

そもそも日本の家主というのは、自民党の重要な支持基盤なのです。

大都市の主要な土地やビルは、財界の重鎮企業が多くを所有しています。財界の重鎮企業は、自民党の大事なオーナー様でもあります。

また地方の大地主の多くは地域の有力者となっており、自民党の後援者になっているケースが多いのです。というより、大地主自身が議員となっているケースも多々あります。

そのため地主というのは、以前から非常に優遇されてきたのです。

たとえば固定資産税です。

不動産に関する税金というと、その最大のものは固定資産税です。固定資産税は、土地や建物を所有している人にかかる税金であり、いわば**「富裕層にかかる税金」**ともいえるものです。

しかし、あまり知られていませんが、土地に対する税金「固定資産税」は、実は大規模な不動産経営をしている大地主に非常に有利になっているのです。

固定資産税というのは、本来は土地や建物の評価額に対して、1・4%かかることになっています。しかし住宅用の狭い土地（200㎡以下）に関しては、固定資産税は6分の1でいいという規定があるのです。これは、「住宅地の税金が高くなってしまうと、庶民の生活費を圧迫するから」ということになっています。

しかし、この6分の1の規定は、自分が住むために家を持っている人だけじゃなく、大規模な不動産経営をしている人にも適用されるのです。

たとえば、巨大マンションを棟ごと持っている人などにも適用されているのです。

どういうことかというと、この「6分の1の規定」は建物全体の広さではなく、一戸あたりの住宅面積が200㎡以下であればいい、ということになっています。

つまり巨大マンションであっても1部屋あたりの土地面積が200㎡以下ならば、全部の部屋に適用されるのです。この「6分の1の規定」は持ち家だけではなく、貸家、貸マンション、貸アパートにも適用されているということです。

だから時価総額100億円を超える巨大なマンションを持っている人も、狭い中古住宅を購入した人も、土地の固定資産税は同じ税率になっているのです。

なぜ貸マンションなどにも、この規定が適用されているのかというと、表向きは「貸家の固定資産税が高くなると、家賃に上乗せされるから」という理由になっています。

しかし、実際は大地主を優遇しているだけなのです。


貸マンションや貸アパートの固定資産税が高くなっても、それが家賃にすぐさま反映されるわけではありません。ものの値段というのは、経費の高低ではなく、市場価値で決まるのです。それは経済学の常識です。だから貸家の固定資産税が高くても、市場価値が低ければ家賃は下がるのです（逆もまたしかり）。

また貸家の固定資産税が高く、マイホームの固定資産税が安いとなれば、人々は貸家を脱してマイホームを買おうとします。となれば、ますます貸家の価値は下がり、家賃は下がるはずなのです。

実際、終戦直後には、地主に対して高額の税金が課せられ、**「貸すより売るほうが得」**という事態になったため、多くの住宅地が安く売りに出され、マイホームを手にした人が激増したのです。

なので、普通に考えれば大地主からはしっかり税金を取っていいのです。

でも、大地主というのは自民党の支持基盤であり、自民党そのものでもあるので、なかなか税金を取れないのです。

新型コロナ禍で家賃の猶予政策を講じないのも、地主、家主の利権を守るためなのです。

5月10日現在、政府は収入が激減した人の家賃を支援する制度をつくろうとしています。

しかし、これは税金で支援するのであって、家主はまったく腹が痛まないものなのです。

さらに言えば、この制度は新型コロナ不況で家賃の取り立てが難しくなった家主に、税金で家賃を払ってやろうということです。

日本では、**どう転んでも地主、家主は損をしない**ような仕組みになっているのです。

## アベノマスク疑惑

2020年4月1日、安倍首相は、日本全国の家庭に1人あたり2枚のマスクを配布することを発表しました。

いわゆるアベノマスクです。

このアベノマスクは機能性の低さ、不良品の多さなどとともに、もうひとつ大きな問題が浮かび上がっていました。

それは**「調達の不透明さ」**です。

政府は、アベノマスクの納入業者について、興和、伊藤忠、マツオカの3社についてはすぐに公表しましたが、残りの2社についてはなかなか公表しませんでした。このことは国会でも問題視され、世間でも叩かれるようになり、4月27日になってようやく菅義偉官房長官が、残りの2社を公表しました。

残りの2社は横井定、ユースビオという企業名でした。

横井定株式会社は「日本マスク」というブランドを持つ老舗のマスクメーカーです。が、もうひとつのユースビオという企業はまったく無名でした。

このアベノマスクの調達は、通常の「入札」によるものではなく、政府が勝手に指名する随意契約でした。緊急のためということで、随意《ずいい》契約となったのです。随意契約というのは政府が勝手に決めるものですから、より公正な選択が必要とされます。だいたい実績のある大手企業が選ばれます。

特に、今回のような緊急性の高いものについては、失敗のないように事業者の実績が非常に重視されるはずです。

しかし、このユースビオという企業はホームページもない、電話帳にも載っていないような超無名の企業だったのです。

東洋経済オンラインが2020年4月30日に配信した「福島の無名会社『アベノマスク4億円受注』の謎」（岩澤倫彦）という記事によると、「社屋は平屋のプレハブのような簡素な建物」で「海外から燃料用の木質ペレットを輸入する事業を行っており、マスクの輸入販売にはまったく実績がない」とのことです。また会社の代表者は、脱税で執行猶予中の身だったそうです。

この企業がどういう経緯で受注にいたったのかは、さらに追及が必要なところです。が、政治家の関与があろうがなかろうが、まず政府の「随意契約」の透明性という意味において問題であることは間違いないはずです。

アベノマスクは、新型コロナが吹き荒れる中、政府はまともな補償もせずに自粛ばかりを要請し、国民は生活の不安やマスクの不足にさいなまれ、「せめて当座のマスクだけでも」ということでたった2枚のマスクを支給するという超緊急の措置だったはずです。

この国民の生活を守るための超緊急な対策費さえ、白日《はくじつ》の下にはさらせないような使い方をしているのです。ほかの予算がどういうふうな使われ方をしているのか、**察して知るべし**、ということです。

こういう激しい批判の本を出した場合、批判された側は得てして「枝葉の事実誤認」をひとつ2つピックアップし、それを理由に「この本はでたらめだ」という反論をします。

おそらく本書で記した細部の事実について誤認している部分もあるかと思います。

が、大枠のことは絶対に間違っておりません。


「日本は異常に開業医が多く国公立病院が少ないこと」

「開業医には特別な優遇制度が多々あり、世襲が多いこと」

「キャリア官僚は関連法人などへの天下りで巨額の収入を得ていること」

「現在の財政赤字の主な原因は公共事業であること」

「日本経済はこの30年間、決して悪くなかったのに、先進国の中でほぼ唯一賃金が下がっていること」

もし、日本医師会、財界、政治家の方々で反論したいのであれば、このことについて堂々と反論していただきたいと思っております。

日本の社会は、中心部分が腐りきっています。

新型コロナ対策では、その弊害が顕著に表れました。

日本がまだ崩壊をまぬがれているのは、大多数の国民が勤勉で忍耐強いからです。

日本の社会というのは、その大半を勤勉で優秀な国民で構成されています。が、その中心部分が、**「悪いジョーク」としかいいようのない**、無能で強欲な人々によって形成されているのです。

中心部分から発した腐食は、国民が思っている以上に進行しているのです。

日本経済は決して悪くなく、世界一と言えるほどの富を集めているにもかかわらず、貧富の格差が激しくなり、子供の貧困やワーキングプアなどの問題が生じています。

まともに働いているのに結婚できるほどの経済力がない若者や、結婚しても子供を持てない、2人目がつくれないというような若者が激増しています。

また少子高齢化がこれほど進んでいるのに、待機児童問題は30年以上も解決されず、大学の授業料は30年間で2倍近くにはね上がっているのです。

ここで大きな改善をしなければ、日本は衰退の一途をたどることになるでしょう。

そして、今の日本というのは、**「政権が代われば良くなる」**などというレベルではないのです。

日本の根本システムが腐りきっており、時代にそぐえていないのです。

「優秀な人、頑張った人」がしがらみに足を取られることなく、「ちゃんと仕事ができる」ようになり、「相応の収入を公正に得る」ような社会システムづくりを、国民全体が本当に真剣に考えなければならないときがきているのです。

そして利権を享受している人たちにこそ、本当に真剣に考えていただきたいのです。

あなた方の利権のために今、この国は崩壊しようとしている、ということを。

ネットの時代、これだけ情報が発達している時代において、あなた方がいつまでもズルい方法で富を独占し続けられると思ったら大間違いなのです。

世間はこれからもっともっとあなた方を糾弾するようになるはずです。

そうなる前に、自ら利権を手放すべきです。

それが、あなた方のためでもあり、日本のためだといえるのです。

最後に、ビジネス社の唐津隆氏をはじめ、本書の制作に尽力いただいた皆様にこの場をお借りして御礼を申し上げます。

２０２０年5月

著者

**参考文献**

『医者ムラの真実』榎木英介著　ディスカヴァー携書（ディスカヴァー・トゥエンティワン）
『オリンピック・マネー』後藤逸郎著　文春新書（文藝春秋）

【著者プロフィール】
**大村大次郎**（おおむら・おおじろう）
大阪府出身。元国税調査官。国税局で10年間、主に法人税担当調査官として勤務し、退職後、経営コンサルタント、フリーライターとなる。執筆、ラジオ出演、フジテレビ「マルサ!!」の監修など幅広く活躍中。主な著書に『まちがいだらけの脱税入門』『税務署対策　最強の教科書』『韓国につける薬』『消費税を払う奴はバカ！』『消費税という巨大権益』『完全図解版　税務署員だけのヒミツの節税術』『ほんとうは恐ろしいお金のしくみ』『相続税を払う奴はバカ！』『お金で読み解く明治維新』『アメリカは世界の平和を許さない』『99%の会社も社員も得をする給料革命』『世界が喰いつくす日本経済』『ブッダはダメ人間だった』『「見えない」税金の恐怖』『完全図解版　あらゆる領収書は経費で落とせる』『税金を払う奴はバカ！』（以上、ビジネス社）、『「金持ち社長」に学ぶ禁断の蓄財術』『あらゆる領収書は経費で落とせる』『税務署員だけのヒミツの節税術』（以上、中公新書ラクレ）、『税務署が嫌がる「税金0円」の裏ワザ』（双葉新書）、『無税生活』（ベスト新書）、『決算書の9割は嘘である』（幻冬舎新書）、『税金の抜け穴』（角川oneテーマ21）など多数。

**新型コロナと巨大利権**

2020年6月21日　第1刷発行

著　者　大村　大次郎
発行者　唐津　隆
発行所　株式会社ビジネス社
〒162-0805　東京都新宿区矢来町114番地
神楽坂高橋ビル5F
電話　03-5227-1602　FAX 03-5227-1603
URL　http://www.business-sha.co.jp/

〈カバーデザイン〉中村聡
〈本文DTP〉茂呂田剛（エムアンドケイ）
〈印刷・製本〉モリモト印刷株式会社
〈営業担当〉山口健志〈編集担当〉本田朋子


ISBN978-4-8284-2196-4

# 大村大次郎の本

## 完全図解版 税務署員だけのヒミツの節税術 あらゆる領収書は経費で落とせる【確定申告編】

定価　本体1200円＋税
ISBN978-4-8284-2067-7

**税務署が教えない裏ワザ満載！**

確定拠出年金や医療費控除など会社員も自営業も確定申告を知らなすぎる！
この裏ワザで誰もが税金を取り戻せます。

## 韓国につける薬 お金で読みとく日韓関係

定価　本体1100円＋税
ISBN978-4-8284-2141-4

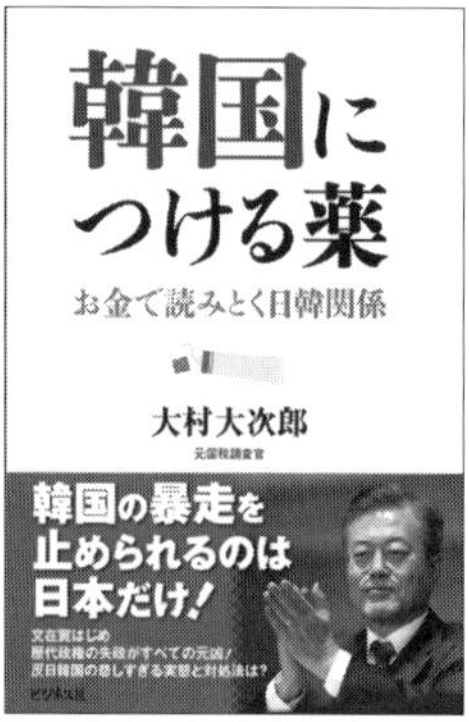


**韓国の暴走を止められるのは日本だけ！**

文在寅はじめ歴代政権の失政がすべての元凶！
反日韓国の悲しすぎる実態と対処法は?

## 完全図解版 あらゆる領収書は経費で落とせる

定価　本体1200円＋税
ISBN978-4-8284-1801-8

**経費と領収書のカラクリ最新版！**

中小企業経営者、個人事業主は押さえておきたい経理部も知らない経費と領収書の秘密をわかりやすく解説。

## 税務署員の弱点を衝く！ 税務署対策 最強の教科書

定価　本体1300円＋税
ISBN978-4-8284-2153-7

**税務署の“手の内”を大公開!**

税務署員に騙されるな！
彼らの口車に乗ってはいけない！
税務調査で泣き寝入りしない裏ワザ、教えます！